貧困の克服

アマルティア・セン
Amartya Sen

a pilot of wisdom

アマルティア・セン

日本のみなさんへ

私の四つの講演論文が日本で一冊の本にまとめられ翻訳出版されるのは嬉しいかぎりです。より多くの日本の読者に、私の考え方を知っていただく機会が得られましたことをたいへん光栄に思います。これらの講演論文の内容は、いずれも日本の学者や著述家の方々がずっと取り組んでおられる研究課題と何らかの結びつきのあるものばかりです。

「危機を超えて——アジアのための発展戦略——」の主なテーマは、経済問題です。「普遍的価値としての民主主義」では、政治的価値について論じています。「人権とアジア的価値」では、権利の哲学と文化とのかかわりについて分析しています。また、「なぜ人間の安全保障なのか」では、公共政策のあり方について触れています。私自身の思想および概念は、日本経済と日本社会の経験から、さらには日本の知識人たちの学問的貢献から多大な影響を受けました。ここに紹介される議論にも、その影響が反映されています。したがって、これらの講演論文が日本の読者の方々に親しみやすいかたちで出版されるのは、私にとって、ことさら喜ばしいことなのです。

この講演論文集の出版にあたって、編集者たちは、経済、政治、哲学、公共政策という、それぞれ異なる分野の問題について言及しようとする私の試みをひとつにまとめてくれました。読者のみなさんが本書をお読みになることで、これらの問題相互の結びつきが明確になることを願います。それこそが、私のささやかな望みであり、またそれがかなうならば、私は十分に報われたことになります。

アマルティア・セン

目次

写真提供……毎日新聞社（15上・25下・165右上・165左上・165右下頁）
ロイター・サン（15下・33上頁）
AP／WWP（155下頁）
共同通信社（その他、右および2頁以外のものすべて）

危機を超えて

――アジアのための発展戦略――

本日ここで、きわめて「アジア的」なテーマについてお話しできるのはたいへん意義深いことです。また、二つの異なる理由から、とても誇らしく思っております。

第一には、このテーマは私自身の望むところというまったく個人的な理由があります。

私のアジア人としてのアイデンティティ感覚はたいへん強いものがあります。幸いにも、私が学んだ学校はアジアについての教育に、非常に熱心でした。それは、詩人であり、先見的な思想家でもあるラビンドラナート・タゴール[1]が、シャーンティニケタン（「平和の憩いの地」を意味するインド東部の地名）に開いた進歩的な学校です。そこでは、サンスクリット語などの古典教育を重視する一方、中国、日本、朝鮮半島、タイ、インドネシアなどのアジアの歴史と文化、さらにアラビア、ペルシャの伝統について学ぶ絶好の機会を用意してくれました。

のちに独立してバングラデシュとなる地域を含むインドで、私は子供時代のある時期を過ごしました。父が教師をしていた関係でビルマ（ミャンマー）のマンダレイでも三年間暮らしたことがあります。それからずっと後のことになりますが、タイで数カ月暮らすことになった時も、到着した瞬間に、心がくつろぎました。それ以来、日本、中国、フィリピン、韓国などアジアのさまざまな地域を旅行した際に、同じような親近感が湧いてくる経験をしました。なぜかといえば、私が子供の頃にアジアのさまざまな国々について学んだことが、絶えず心に思い

ラビンドラナート・タゴール（1861～1941）
アジア人としてはじめてノーベル文学賞を受賞

インド・シャーンティニケタン。タゴールはこの町に学校を開き、音楽、絵画、彫刻等の芸術を奨励した。その雰囲気は今も息づく
（ロイター・サン）

起こされたばかりではなく、ティーンエイジャーになる頃までにはすでにアジア人としてのアイデンティティ感覚が、私のうちに深く根差していたからでしょう。

シンガポールには以前一度だけ来たことがありますが、今このように再び滞在できることをうれしく思っています。この偉大な国の経済や文化の目覚ましい発展を目の当たりにできるのはすばらしいことです。この国は経済発展だけではなく、活力みなぎる調和のとれた多文化社会の建設の成功というたぐい稀な偉業を成し遂げました。シンガポールとは、古代サンスクリット語で「獅子の都《シンガプーラ》」、すなわち百獣の王の都を意味しますが、シンガポールが成し遂げた偉大な業績は、獅子の風貌に似た特徴を数多くそなえています。威風堂々たるエレガンスもその一つと言えるでしょう。

私がこれから述べるテーマは多岐にわたります。そのなかには、もうすでに広く知れわたっているものであっても、今まで以上の支援を必要とする問題や、これまであまり知られておらず、もっと関心が払われるべき問題が含まれます。私は今晩こうしてそれらについてお話しできることを嬉しく思っています。

アジアとその発展についての一般的理解

私が、「アジア的」なテーマについて論じられることを誇らしく思う第二の理由は、知的な側面にあります。
これからお話しするように、アジアは、発展のプロセス一般について理解して、そこから知識を得るためのすばらしい源泉なのです。アジアが成し遂げた多くの成果と問題点を詳しく分析すれば、発展それ自体のために何が要求され、また何を克服すべきかが明らかになるわけです。

アジアは、異なる分野において多様な経験を積んできました。そのなかには、すばらしい成功をおさめた経験も含まれています。それらすべてのアジアの成果を検討することによって、発展についての標準的な問いに対する答えが、新たに書きかえられただけではありません。そうした問い自体までもが、根本的に定義し直されなければならなくなったのです。

さらに言えば、アジア地域がたえず直面してきたたくさんの問題点と数々の困難に関する研究さえも、発展のプロセスでは何が要求されるかを理解する豊かな源泉となりうるのです。アジアのための発展戦略は、もちろんこの地域にとって、重大な意義を持っているわけですが、最終的にはグローバルな関心を集めるものでもあるのです。ですから私がここで論じるよう求められたテーマには、地域的であるとともに普遍的意義もあるのです。

未来を創るための過去の評価

まず方法論についてですが、二つほど簡単にコメントしておきます。

私たちの関心が主としてアジア地域が現在直面している問題や困難な状況にたとえあるとしても、この地域で成し遂げられた独自の成功――たしかにそれは大いなる成功でした――と、その成功を可能にした一般的戦略を理解する試みから始めるほうが良いように思われます。

なるほど、私たちは新たな出発点を模索しなおすべきなのかもしれません。しかし、この地域の成功の基礎となった豊かな創造性を大切にしながら、今までの努力のうえに新たな努力を積み重ねてゆくのも理にかなった方法です。「新しいものは古いものから生みだされるべきである」と、私は重要な意味をこめて主張するつもりです。

次に、新旧の発展戦略の評価についてですが、細部にわたるレベルからごく一般的レベルまでの、さまざまに異なるレベルで吟味してはじめて成果を得られます。

また、レベルは目的によって違いますが、この講演では、ごく一般的なものにとどめることにします。この一般的なレベルにおける説明をご理解いただければ、行政に関わる特殊事情などを含む多くの具体的な問題については、やがて取り組めるはずです。ここではまず全体像を正確に把握することから始めなければなりません。

ごく一般的には、アジア地域には成功の基盤とみなされるべき共通の哲学が存在すると私は考えています。それは最初に日本で展開され、次いでアジアの他のさまざまな地域でも実践されて大きな成功をおさめた、「東アジアの戦略」と呼ぶべきものです。

この伝統的な戦略の基礎となっている哲学のなかに、さきほどの一般的な取り組みを拡張し、また向上できる手がかりがあることを、これから論じてゆきたいと思います。それによって、近年非常な勢いでもたらされた多くの問題や困難な状況に対処することも可能となるはずです。

経済発展とさまざまな制度の相互補完的な関係

アジア地域の経済発展プロセスにみられる共通の特色を探るには、まず日本から始めましょう。工業化と経済発展の分野は、それまでは欧米の独壇場としばしば見なされてきました。そのような世界に日本が突然、力強く確かな足どりで出現したわけです。それゆえに日本は、経済発展一般の本質について学習して理解するための宝庫となり得たのです。

これに続いて、東アジアおよび東南アジアも目をみはるような経済成長を達成して、経済発展の本質および成長要因について解明できる大きな源泉がもう一つ出現しました。

しかし、多くの論者、特に欧米の論者に、これらの成功も国際貿易の生産性という、自分たちの以前からの考え方の正しさが確認されただけだとされ、東南アジアの経済成長には新しいものは何もないと受けとめられてしまいました。けれども、もっと詳細な分析の結果、日本および東アジア、東南アジアの経済発展プロセスには、注目に値するいくつかの新しい特色があることが明らかになっています。

第一の特色は、変革の主な原動力としての基礎教育が重視されていたことです。

第二の特色は、教育・人材養成・土地改革・信用供与などによる基本的な経済エンタイトルメント（人々が十分な食糧などを得られる経済的能力や資格）の広範な普及です。これによって、市場経済が提供するさまざまなチャンスへのアクセスが拡大しました。

第三の特色は、開発計画において、国家機能と市場経済の効用の巧みな組合せが行われたことです。

さらに根本的なことがあります。これらの地域における成功の土台となったのは、私たちが生きている世界は多種多様な制度から成り立っていること、さまざまな自由がそれらの制度に依拠しているからこそ自助あるいは他者を助ける能力を発揮しうること、そういった暗黙の了解なのです。このさまざまな自由のなかには、市場経済の整備とともに社会的チャンスの創出、社会基盤の充実、個人の潜在能力の発展などが含まれます。

成功をおさめたアジア地域が近年経験した問題と困難な状況について、詳しく検討するためには、とりわけ制度の多様性とそのさまざまな機能についての基本的理解を十分に活かしてゆくことが大事です。それはまた、現在抱えている問題の解決策にもなれば、また将来における類似の危機を回避する予防策にもなるでしょう。それについては、あとでくわしく述べるつもりです。

制度と自由

個人は、さまざまな制度から成り立つ世界で活動し生活しています。私たちの社会的チャンスや未来への展望は、どのような制度が存在して、それらがどのように機能するかによって大きく左右されるのです。制度が存在するだけでも、私たちの自由に寄与していますが、その自由への貢献度という観点から、制度が本来果たすべき役割を価値評価することも可能です。

さまざまな論者たちが民主主義体制、マスメディア、公共の分配システムなど特定の制度を違った分野ごとに個別に取り上げて論じてきましたが、これらの制度はすべて総合的に把握されなければなりません。つまり、ある制度は他のさまざまな制度と結びついて何ができるか、あるいは何ができないかを検証する必要があるのです。こうした総合的な視点から、あらゆる制度は理解され、また検討されなければなりません。

市場メカニズムは、それに対する賛成反対をめぐって、激しい感情的対立を引き起こすことすらあります。しかし、市場メカニズムは、それを通じて人々が互いに交流し相互利益に結びつく活動の基礎となる制度でもあるのです。このような側面から考えると、市場メカニズムのもたらす幅広い効用を合理的に批判することはたやすくはないでしょう。問題が生じるとすれば、それは市場メカニズムそのものからではありません。たいていの場合は、市場の外部に原因が見つかります。

たとえば、市場取引を利用するための制度的準備がなされていないこと、無制限に情報隠匿が行われてしまうこと、権力者たちが有利な立場を利用して独占的に得た情報をもとに投資活動を行ったり、資源を濫用したりするのを放任しておくことなどが、問題を生じさせるのです。これらの問題に対処するためには、市場メカニズムを抑制するのではなく、より円滑に、そしてはるかに公正に機能させることが必要です。

市場メカニズムが大きな成功をおさめることができるのは、市場によって提供される機会をすべての人々が合理的に分かち合う条件が整備されている場合のみです。それを可能にするためには、基礎教育の確立、最低限の医療施設の整備、それから、土地資源が農業従事者にとって欠かせないものであるように、あらゆる経済活動のために不可欠な資源を広範に分かち合い自由に利用できること、などが実現されなくてはなりません。

学校教育、医療、土地改革などの充実のためには、さらに適正な公共政策も必要とされます。市場の機能をもっと活性化させるために「経済改革」が至上命令とされるような事態においてさえも、社会的チャンスの創出をはかることはきわめて重要です。このような単なる市場の育成という目的を超えたところで、確実な効果の期待できる慎重な公共活動が必要とされるのです。

日本の経験――公共活動と個人のチャンス

これは発展途上国すべてについて言えることですが、社会的チャンスを創出するための公共政策の推進はきわめて重要です。なぜなら、社会的チャンスを均等に分かち合うことができれば、多くの人々が経済拡大のプロセスに直接参加することが可能になるからです。

日本の成功の経験と、それに続く東アジア、東南アジアの成功によって、いくつかの政策サークル、特に欧米の政策サークルなどでずっと支配的でありつづけた見解で、しばしば議論の余地がないとされてきた通念が覆されました。その通念とは、人間的発展というものは、その国が豊かになってはじめて手にすることができる贅沢品であるとする考え方です。東アジア経済が近年になって獲得した成功モデル――そのはるか以前に日本ではすでに始まっていました――が与えた最大の衝撃はおそらく、そのようなどうしようもない偏見を完膚なきまでに打ち破ったことでしょう。

これらの経済は比較的初期において教育の普及を徹底するなど、さまざまなエンタイトルメントを拡大させるための政策によって、多くの人々が経済活動と社会変革に参加することを可能にしたのです。このことは、社会全体が貧困の束縛から解放される以前にもうすでに生じていました。そしてまた、この幅広い取り組みは実際に、貧困による束縛に打ち勝つのにも大きく貢献したわけです。

ここで、日本の場合を考えてみましょう。十九世紀半ばの明治維新当時のことです。ヨーロッパが一世紀をかけて経験してきたような近代的な工業化や経済発展は、日本ではまだ緒についたばかりでした。それにもかかわらず、日本人の識字能力の水準はヨーロッパを凌駕していました。明治時代（一八六八〜一九一二）における日本の発展初期においては、このような人間の潜在能力の発展が主眼とされました。たとえば、一九〇六年から一九一一年にかけては、日本全国の市町村予算の四三％が教育費にあてられていたわけです。

この時期における日本の初等教育の普及はたいへん急速でした。一八九三年には徴募された兵士の三分の一が識字能力を持たなかったというのに、一九〇六年頃になると、読み書きのできない者はほとんどいなくなっていたという事実に、陸軍の徴兵担当官たちが感銘を受けています。一九一三年頃の日本は、経済的にはまだ発展途上にありましたが、書籍出版に関してはもうすでに世界一になっていました。出版点数ではイギリスを抜いており、アメリカの二倍以上にも達していたのです。

日本の小学校の教室（明治10年）

本屋・金港堂の店先と土蔵（明治17年）

日本では、非常に早い時期から学校教育の普及と人間的発展を優先させてきましたし、今日においても、そのことに変わりはありません。ただ、ここで心にとめておかなければいけない重要な事実は、それが百年以上も昔に遡るということです。それらは、日本が豊かになってからはじめて導入されたものではありません。これに倣って、発展のために何よりも最初になされるべきは、金持ちや地位の高い人々のためにではなく、むしろ貧しい人々のためになるような、人間的発展と学校教育の普及の実現です。これは、近代史全般をつらぬく日本経済の発展戦略を理解すればわかることです。

東アジア、東南アジアの地域全体において、その進展ぶりはしばしば遅れがちでゆっくりしていますが、教育と人間的発展の優先を見ることができます。韓国、台湾、香港、シンガポール、タイその他の国々において、そしてさらに特筆すべきことに、中国においても、この一般的な取り組みがたいへん巧みに活用されているのです。

人間的発展——東アジアの戦略

人間的発展とはいったい何の役に立つものなのだろうかと疑問に思われるかもしれませんが、それは、人々の生をさまざまな方法で支援してくれるものといえます。その支援が果たす役割のひとつが「人的資本」の形成であると一般的に考えられています。しかしながら、人間的発展が実現しようとしているのは、この「人的資本」の狭い枠組みで捉えられているものをはるかに超えています。

まず、社会的チャンスの創出は、人間の潜在能力と生活の質の飛躍的発展を可能にしてくれます。教育や医療制度などの普及は、生活の質とその向上に直接的貢献をもたらしてくれるものです。たとえ所得水準が相対的に低くても、教育と医療をすべての人に保障している国では、国民全体の寿命の長さと生活の質の向上に関して、驚くべき成果をあげることができるのです。このことは改革開放政策にふみきる以前の中国によってすでに証明されています。一九七九年の改革以前の中国では、それ以後に実現した工業と農業の拡大に先立って、平均寿命の伸長がすでに達成されていました。

さらに、医療や基礎教育、そして人間的発展すべてについて言えることですが、それらは高度に労働集約的な性質ゆえに、労働コストが安い経済発展の初期段階では、費用が比較的かかりません。発展について分析する際にしばしば見落とされがちなことに、「相対的コスト」という重要な考え方があります。

また、これから経済発展をはかろうとする貧しい国において、基礎教育と医療のための財源をふくらます〝余裕〟がはたしてあるのかという疑問がしばしば出されています。これは検討に値する疑問ではありますが、次のような適切な答えが用意されています。貧しい国では賃金が安く、労働コストは相対的に低くなります。そして、豊かな国と比べるとその差はしばしば大きいものです。基礎教育と医療もまた多くの人々の労働に依存していますから、豊かな国に比べて、貧しい国ではそのコストがずっと安くすむことになるのです。もちろん、貧しい国では、公共サービスに費やされる予算は多くはありませんが、同じようなレベルの基礎教育と医療の向上を実現するための費用は、豊かな国に比べれば少なくてすむのです。

それゆえにまず最初に注目しなければいけないのは、この戦略――「東アジアの戦略」と呼んでもよいもの――が、初期の段階から人間的発展を目指し、人間の基本的な潜在能力の拡大を主眼とすることに直接貢献している事実です。その戦略は二つの大きな効果をもたらします。

一つは、たとえそれが経済や工業の拡大に影響を与えなくても、識字能力の拡大、平均寿命の伸長、病気による死亡率の低下などによって、生活の質の向上に貢献できるのです。この効果をまず認識すべきでしょう。なぜなら、公共政策の究極の目標は、豊かな人生と自由の拡大だからです。

さらに、第二の効果も存在します。基礎教育、医療などのかたちをとる人間的発展を実現することは、経済や工業の発展に拍車をかけて、その効率を改善しながら市場経済の規模を拡大します。そしてまた、そのことが再び生活の質の向上へとつながります。

このように、「東アジアの戦略」は生活の質の向上のために、直接的利益と間接的利益の両方をもたらしてくれるのです。

つまり、人間的発展がもたらすものは、生活の質の直接的向上のみにとどまらず、それをはるかに超えて人々の生産能力にも影響を与えるのです。その結果として、広い基盤で人々が共有し合える経済成長にもつながってゆきます。

識字能力や計算能力を身につけることは、一般の人々が経済拡大に参加するのに役立ちます。グローバルな貿易チャンスを利用するためには、「品質管理」と「特別仕様に合わせた生産」がきわめて重要になりますが、文字や数を知らない労働者にとっては、それらの達成や維持は困難です。さらに言えば、医療制度や栄養状態の改善によって、労働の生産性が高まり、その報酬も増えることを示すかなり多くの証拠があげられています。

いわゆる「東アジアの奇跡」は、人間的発展を重視して、国家と市場は相互に補い合うものであるとする「東アジアの戦略」によって実現したものでした。経済発展と人間的発展との結びつきは、欧米社会の公的な議論では、長い間無視されてきましたが、現在では十分認識されるようになりました。

過去においてはこのような結びつきに関して、どちらかと言えば懐疑的だった世界銀行(IBRD=国際復興開発銀行)も、しだいにそれをはっきりと認める方向にあります。特に世界銀行が公的教育の役割を重視するよう認識を改めたことは、一九九三年に刊行された『東アジアの奇跡』によく示されています。

しかしながら、異なる制度のあいだに相互的な関連があること、また国家と市場が相互に補い合うものであること――公的教育の確立はそのうちのほんの一部にすぎません――についての了解を全面的に認めることに対しては、依然としてやや抵抗感が残っている様子が、この本からもうかがえるのです。

近年では、ジェームズ・ウォルフェンソン総裁のもとで、ジョセフ・スティグリッツの研究チームによって、さまざまな制度のあいだのより幅広い相互関係について、以前に比べてより十分に把握されるようになりました。私たちは、この認識の広がりが世界銀行やＩＭＦ（国際通貨基金）やその他の機関の日常業務に、どこまで反映されるかを見守っていかなければなりません。

また、第三の効果も存在します。教育、特に女子教育の普及には、出生率だけではなく幼児の死亡率も低下させる効果のあることが、近年の実証的研究による文献において十分に確認されています。過度に高い出生率は、とくに年若い女性たちの生活の質の向上にとってはマイナス要因と見なすべきだとする考え方は正しいと思います。

出産や育児を過度に繰り返すことによって、若い母親たちの福利や自由が奪われてしまうことがよくあります。事実、家庭外での雇用や学校教育の拡大などを通じて、女性たちのエンパワーメント（力をつけること）が確立されると、出生率が低下するという結果は、まさにこの相互関係によって生み出されたものです。

若い女性たちには出産を抑制したいと思う強い動機があり、また、彼女たちのエンパワーメントの確立によって、家庭内の意思決定を左右する能力も大きくなるためです。別のところでも論じましたが、中国の出生率の低下もまた、一九七九年に導入された、「一人っ子」政策その他の厳しい法規制や経済的罰則などの懲罰規定によるものというよりもむしろ、女子教育の普及や雇用拡大の結果でした。

インドにおいても、女子教育とエンパワーメントに関しては、中国よりももっと進んでいる地域があります。特に南インドのケララ州（人口三千万人）においては、何らかの強制が行われているわけでもないのに、出生率は中国よりはるかに低くなっています。

出生率の低下速度についても、女子教育が普及しているケララ州のほうが中国よりもずっと速いのです。ケララ州では、女子教育の普及が中国よりもずっと速く、その普及率にそって出生率の急激な低下を経験しています。一人っ子政策その他の強制手段が実施された一九七九年から一九九一年までのあいだに、中国の出生率が二・八から二・一に低下したのに対して、ケララ州では同じ期間に三・〇から一・八に減っています。ケララ州では女子教育と出生率低下の両面において中国より進んでいるのです（現時点では、ケララ州の出生率が一・七以下で中国が約一・九」。

また、ケララ州では出生率低下のプロセスが、強制ではなく自由意思に基づいていたおかげで、中国とはまったく違ったかたちで乳幼児死亡率の低下がつづいています。中国で一人っ子政策が始まった一九七九年には、双方の乳幼児死亡率はほぼ同じであったにもかかわらず、九〇年代半ばにはケララ州における出産千人あたりの乳幼児死亡率の値は女児十六人・男児十七人であり、中国の女児三十三人・男児二十八人よりはるかに低くなっています。

このように、人間的発展は経済発展や生活の質の向上に直接的に働きかけるばかりではなく、社会全体、そして人口問題にも影響を与えるのです。中国は、強制政策によってではなく人間的発展によって独自に実現させたことに関しては、もっと自信を持ってもよいはずです。中国国内ではむしろ強制政策ばかりが賞揚されてきました。しかし、ケララ州のような人間的発展を志向する州とは対照的に、インドの大半の地域、特に北部では、人間的発展のためにほとんど何もなされてきませんでした。この事実が、インドの社会的、経済的低迷の原因を明らかにしているのです。

東アジアの戦略と中国・インドの比較

中国とインドについて簡単に対比しましたが、これをもう少し詳しく追究してみることにし

インド・ケララ州のコッタヤム。
この地域の人々は、移動や輸送の際、主に船を利用（ロイター・サン）

バンガロールのＩＴ企業でソフトウェアを制作する、インド人技術者

ましょう。「東アジアの戦略」の智略についてもっと知るためには、インドで採用されてきた視野の狭い取り組みとの相違点をみるのが有益です。

インドでは、基礎教育をはじめとする、さまざまな人間的発展の中心的要素は、つねに無視されつづけてきました。その結果として、インドの成人人口の約半分は、今なお識字能力を欠いているのです。文字が読めない一般の男女が国際的な規格と仕様に合わせた生産体制への関与、まして品質管理すらもできないのでは、グローバル化された貿易に参加する機会を利用することが難しくなります。

インドにおいてもまた巨大な権力を握る官僚制がつねに存在してきました。しかし、これは国家と市場のあいだに相互補完関係を築きあげるためには好ましくありません。一九九一年に経済改革が開始されたにもかかわらず、この問題はまだ十分に解決されていないのです。

しかし、市場がうまく機能しやすい政策をとる必要性は、政府でさえ認識していますが、人間的発展のための政策に関してひどい過ちを犯していることをもっとしっかり反省しなければなりません。一九九一年のインドにおける経済改革推進は、「経済自由化」を唯一の重要課題とみなしました。経済自由化はたしかに重要ではありましたが、インドの政策立案において、私が「東アジアの戦略」と呼び続けてきたものがそのまますべて採用されることはありませんでした。明らかに言えることは、経済における許認可支配を牛耳る国家の過剰介入を抑制することと、基礎教育の普及やその他の社会的チャンスの創出を軽視する国家による公共活動の不足を解消することとのあいだには、相互補完的な深いかかわりがあるのです。

ここでもまた、インドと中国の比較が有意義です。中国も一九七九年の経済改革以前は、きわめて官僚主導型の経済体制でした。しかし、中国の場合、その政治的方針に従って、改革が始まるより前の時期に、インドよりもずっと徹底したやり方で基礎教育と医療のための設備を拡充していました。

そのために、中国は一九七九年の経済改革以後に、すでに教育と人間的発展の分野で達成したものを大いに活用することができたわけです。改革後の中国は改革以前にすでに採用していた東アジアの戦略の一部分から、大きな恩恵を受けたのです。それゆえに、東アジアの戦略のその他の部分については、すでに達成されたもののうえに後から追加して築いてゆくことが可能だったわけです。

現在のインドを現在の中国と比較する際、中国はインドよりもずっと上手に市場効率を利用するために力を注いだと、しばしば指摘されます。この指摘は正しく、一九七九年の経済改革以降の中国に関しては完全に真実です。

しかし、もう一つの真実が存在します。それは一九七九年までに中国がすでに人間的発展全体のために最大の努力を惜しまなかったことです。一九七九年に改革が始まるとすぐに、それは社会に貢献し経済発展の力強い支えとなりました。それに引きかえ、インドが基礎教育と医療制度の面で立ち遅れていることは、人々の生活の質を低下させるだけではなく、グローバルな貿易と取引のチャンスを妨げる大きな障壁になっています。

ただ、インドの高等教育が進んでいることももちろん事実です。大学教育を受けた者の数については、インドは中国の六倍ですから、高度な教育を必要とする技能に頼っている貿易や商業の分野においては、幅広く人材を登用することが可能になっています。たとえば、バンガロール（南インドの新興工業都市）は、世界有数のエレクトロニクスやその他の技術関連事業の中心地になっています。

それにもかかわらず、中国では特に若年層においてはほぼ一〇〇％に近い識字率を達成しているのに、インドはまだそれとはほど遠いという事情があります。おそらく、このことがインドのグローバル経済への参加をはばむ、唯一最大の障壁になっているものと思われます。たとえインド全体にバンガロールのような都市が百も建設されようとも、そしてまた、インドが真に誇れる現代科学とテクノロジーがいかに進歩を遂げようとも、インド農村部の貧困の最深部にまでそれらが浸透してゆくことはまずありえないでしょう。

インドと中国の比較についてはもうすでに他のところで書いたことがありますので、ここではこれ以上触れないことにします。しかし、私がここで特に強調しておきたいことは、このようなインドの経済政策と社会政策における欠陥は、日本や東南アジアにおける東アジアの戦略の成功から多くを学ぼうとしなかったことに原因があるということです。

市場を拡大したり官僚制を縮小したりするだけでは、解決策にはなりません。それらも重要なことですが、インドの経済政策と社会政策が真に必要としているのは、東アジアの戦略の中心的要素である人間の潜在能力の発展や、さまざまな制度の相互補完的関係をもっとフルに活用することなのです。

過渡期における危機と権利の剝奪

ここでテーマを少し転換しましょう。長期的な成功だけでなく短期的に生じた問題にも目を向けてみます。短期的に生じた問題は過渡的なものにすぎませんが、場合によっては、長期的成長の成功体験を台無しにしてしまう可能性があります。あいにくここでもまた、インドと中国の比較が有益ですが、さきほどの比較とは異なって、インドにとって必ずしも全面的に不利というわけではありません。

発展への挑戦的課題には、ある地域でつねに起こっている慢性的貧困による権利の剝奪を排除することと、突然起こりうる突発的な極度の困窮状態を防止することの両方が含まれます。その両方に対処するための制度と政策に突きつけられるさまざまな要求は、まったく異なるばかりか似ても似つかぬ場合があります。一つの分野における成功が、他の分野における成功を同時に保証するものとは限りません。

例として、過去半世紀にわたる中国とインドを比べてよく考えてみましょう。平均寿命の伸長と乳児死亡率の低下については、中国ではインドよりもずっとうまくいっていることは明らかです。すでに触れたように、中国のすばらしい成果は、一九七九年の経済改革以前にまで遡ることができます。

しかし、インドは中国よりもはるかに多様性に富んだ国であり、多様な言語と伝統が存在します。インドのシステムは中国のシステムと比較して「地方分権化」が進んだ行政機構と結びついているのです。もうすでに論じたように、インドにも、ケララ州のように、中国以上に人間的発展の拡大が急速だった地域があるのも事実です。それにもかかわらず、これら二つの国を総合的に比較してみると人間的発展については中国のほうがはるかに勝っています。

しかしまた、中国は史上最大の飢饉も経験しました。一九五八年から六一年の大躍進政策の失敗につづく飢饉では三千万人が餓死しています。それとは対照的に、インドは独立以来飢饉を一度も経験していません。飢饉やその他の壊滅的危機の防止は、平均寿命の全体的伸長その他とはやや異なった分野に属しているのです。

自然災害であれ政策ミスであれ、破局的事態の回避というかたちにおける人間の安全保障を確実なものにするためには、民主主義と参加型政治が重要な役割を果たすことを、私はここで強調したいのです。

飢饉やその他の重大な危機が発生する際のきわめて重要な特徴は、不平等の存在です。もちろん、民主主義の不在は、それ自体が不平等であることにほかなりません。この場合には政治的権利と政治的権力の不平等を意味します。

しかし、われわれは特に、(1)非民主的なガヴァナンス(統治)による政治的不平等と、(2)飢饉そして急激に増大する経済的格差によって生じる、権利の不平等な剝奪との関係に注目しなければなりません。

全体的な食糧供給の大幅な減少がなくても飢饉は起こりうるという事実は、飢饉の発生において経済的不平等が果たす役割を明らかにしてくれます。なぜなら、たとえば突然の大量解雇など、市場機能の急激な低下によって新たに生じた不平等のおかげで、ある社会集団に属する人々だけが飢餓に見舞われることもありうるわけです。このように飢饉とは社会分裂を生じさせる現象なのです。

最近の東アジア、東南アジアにおける危機

近年において、東アジアや東南アジアで起きたような経済危機の本質を理解しようとする際

にも、同じような問題が浮上してきます。これらの危機においては、特定の人々だけがひどい貧窮と悲惨な状態に追い込まれるという特徴を伴います。

『アジアの危機と人間の安全保障　アジアの明日を創る知的対話』という本の序文で、山本正とチア・ショウ・ユエが、「二十一世紀を目前にして、アジアでは、過去を反省する雰囲気と、未来への深刻な不安が深まっている」と述べています。

アジアの未来を慎重に予測しながら、批判的に過去を振り返るべき十分な理由が当然存在します。私たちは、そうした不安や反省の根拠が何であるのかを把握する努力を惜しんではなりません。そうすれば、より力強い精神と技量でもってアジアの未来に立ち向かうことができます。アジアの未来の全体的な展望のなかに含まれるさまざまな要素は明確に区別されなければなりません。また、問題が何かを私たちが正確に理解するならば、その解決方法を見出すことはやさしいように思われます。アジアのための新しい発展戦略を模索するには、アジアがつねに直面したにもかかわらず、過去においては十分に注目されて来なかった問題のありかを透視しなければなりません。そして、それを新たな共通認識としながら、多くの努力を積み重ねてゆかねばなりません。

危機から学ぶべき第一の教訓――発展における脆弱性

誰の眼にも明らかになったであろう問題があります。それは、上昇ばかりで下降することなど知らなかった、あの成功に酔い痴れた日々はすでに終わったのだという認識にかかわるものです。たとえアジアの大部分がすでに一九九七年に勃発した危機から順調に回復しつつあるにしても、アジアの経済発展は完全に揺るぎないものであるという自信はもう消え失せてしまいました。なぜならば、深刻な経済危機が現実に起きたことによって、多くのアジア諸国が当然のように考えていた、阻むものなき経済進歩の奔流が塞き止められてしまうこともあるとわかってしまったからです。

それほど深く考えるまでもなく、この事実を理解することはたいへん重要です。経済史をほんの少しでも学んでいれば、経済的進歩が一本調子に進むことが稀なのは明らかです。世界中いたるところで共通の事実なのです。果てしない未来への前進を約束されているように見える経済にもその伸展を阻む亀裂の発生が必ず待ち受けています。アジアだけがこうした脆弱性を免れるはずはありません。「マーフィーの法則」のように、事態が悪化する可能性があれば必ずそうなるという大袈裟な主張をしているわけではありません。

そうではなくて、むしろ控えめな主張にすぎません。発展が妨げられる危険はいたるところにあり、いかに堅調に見えようとも、経済が悪化する可能性は実際にあり得るという意味です。傷つかないと考えるのは幼稚です。それはティーンエイジャーのドライバーによくありがちな例で、事故は自分の身には絶対に起こらないと思い込んでいるのとよく似ています。

たとえ、経済発展の脆弱性について深く認識していなくても、このシンプルな了解事項の奥行きの深さがわかっていることが実に大切なのです。

とりわけ、安全保障を発展の中心的課題として理解していなければなりません。

進歩を長期的な成長率の平均値や上昇傾向の確実性によってのみ判断しようとする発展の見方には、発展プロセスにとって何が真に中心的なのかを見落としてしまっているところがあります。その何かとは、運命の時が訪れて衰退する危険を逃れるために必要な保障にほかなりません。今日の悲惨な困窮状態と昨日までの目覚ましい発展、明日また訪れるかもしれない急速な成長のいずれもが、同時に存在していても不思議ではないのです。

第二の教訓——分裂する社会

次の論点もまた余りに単純すぎて、しばしば見過ごされがちです。経済が急成長している最中はさまざまな社会集団がすべて同時に利益の恩恵を享受しています。この意味で、さまざまな社会集団が得られる利益は実質的に一致しています。

それでも、経済危機が発生した時に、どの社会集団に属するかによって、境遇にかなり激しい格差が生じるのです。社会は、経済が上昇気流に乗り続けている時には連帯していても、下降時には、分裂しながら落ちてゆきます。経済情勢が破綻をきたして転落する時には、ニセモノの社会的調和の感覚は引き裂かれてバラバラになる可能性があります。

たとえ上昇期には社会が調和的であっても、下降期に分裂が生じるということも、危機の研究から学ぶべき大事な教訓のひとつです。東アジアや東南アジアの国々が近年経験したよりもはるかに壊滅的な危機も頻発します。しかし、深刻な飢饉が発生した場合でも、その国の大半の人々は食べてゆくために十分なものを手に入れられる状況もあり得るのです。

実際には、飢饉が人口の五％以上に被害を及ぼすことは稀であり、それが一〇％以上にのぼることはまずありえません。このことが、飢饉を食糧総供給量や一人あたりのＧＮＰ（国民総生産）あるいはＧＤＰ（国内総生産）の平均といった数字の集計によって分析しても、何の役にも立たないという理由の一つになっているのです。

因果関係を正しく分析するためには、さまざまな社会集団に属する人々が持つそれぞれのエンタイトルメントに注目しなければなりません。エンタイトルメントとは、食糧その他の生活必需品の購買力、突然に起こる権利の剝奪からおのれの身を守るなど個々の具体的な能力のことですが、それらに分析の焦点を絞らなければなりません。なぜならば、他の社会集団にとっては些細な問題でしかなく、被害や悪影響を受けない場合でも、ある社会集団のエンタイトルメントだけが全面的に破壊されることもあるからです。

たとえ権利の剝奪の規模が飢饉や大災害の場合とは比べものにならないほど軽かったとはいえ、一九九七年に東アジアや東南アジアを襲った経済危機の場合にも、まさに同じことがそのまま当てはまるのです。インドネシア、タイの経済危機、あるいはそれ以前の韓国の経済危機を例に取ってみましょう。

それまで数十年間にわたって年率五%もしくは一〇%成長を続けてきたこれらの国々において、GNPが一年のあいだに五%もしくは一〇%減少しただけで、なぜこれほどの惨事にならなければいけないのかと不思議に思われるかもしれません。なるほど単純に数字だけの集計レベルでみれば、これは本質的にはそれほど悲惨な状態ではないと言えるかもしれません。しかしながら、その五%ないし一〇%の低下が人口全体で公平に分担されるかわりに、最も貧しい人々——失業者や最下層の人々やその家族——に大きな重荷がのしかかるならば、過去の経済全体の成長がどのようなものであろうとも、その社会集団に属する人々はほとんど無収入になりかねないのです。このような全体的な経済危機においても、飢饉と同様に、最も不運な人々から次々に見捨てられてゆくのです。

このことこそが「保護のための安全保障」が手段としての自由として重要視されなくてはならない理由であり、また、安全ネットの社会整備が発展そのものにとって不可欠である理由でもあるのです。人々がみずからの生活を保障するために必要とされるのは、すべての分野にお

韓国・ソウル。通貨危機対策に協力する運動。民間団体のメンバーが、
ウォンに換金するため、手持ちのドル紙幣を募金箱に入れる（1997）

タイ・バンコク市内のホテル。通貨危機の影響で、
ロビーは閑散としている（1997）

ける持続的発展だけではありません。境遇に格差が生じたために他の社会集団は無傷だというのに一部の社会集団だけが壁にたたきつけられるようなことが起きないように、社会的保護が必要不可欠なのです。「持続可能な発展」についての文献のほとんどが、どんなにすばらしく啓発的な内容であっても、この事実を見過ごしがちなのです。

第三の教訓――人間の安全保障と公正

さて、第三の教訓に移りましょう。これは実際には今論じたばかりの、下降期において運命の明暗が分かれるという第二の教訓と密接にかかわっています。

発展問題に関する文献では、公正と経済的不平等の問題は長期的な経済成長のコンテクストで取り扱われてしまうのが普通です。しかしながら、この問題をそれとはまったく違った方法によって、人間の安全保障という別の文脈で考え直すことが不可欠なのです。

きわだった困窮はもちろん不平等の問題であることは明白です。ある社会集団は壊滅状態に陥っているのに、他の集団が安泰に暮らしている場合、そこには大幅な不平等が存在しているわけです。公正が脅かされていると言ってよいでしょう。しかし、これはもっと一般的に論じられている「公正を伴った成長」という異議申し立てとは違う問題だと認識してください。

発展問題についての膨大な論文は理論に富み、実践的にも有用で、慢性的な貧困の排除という違う大問題の分析には適しています。しかし、ここで論じている突発的に見舞う困窮状態の問題はまったく別な性質を持っており、長々と続く権利の剝奪や慢性的貧困とはまったく異なる因果関係によるものなのです。

たとえば、韓国が比較的平等な所得分配を伴う経済成長を実現してきたことは広く知られていますが、このことは危機的状況下における公正の存在を何ら保障してくれるものではありません。さらに、危機が勃発した時の社会的な安全ネットによる適切な保障システムも韓国にはなく、すぐに対応して補償するような保護システムも存在しませんでした。「公正を伴った成長」という過去のすばらしい実績があるところにも、新たな不平等や処置しようのない困窮状態が起こりえます。問題が同じではない場合には、まったく別の分析方法による異なった理解のされ方が必要なのです。

第四の教訓——民主主義の役割

さて、第四番目の問題、すなわち政治的民主主義の問題に移ります。

国家と市場との相互補完性についての基本的な取り組みとしては、もちろん、民主主義の果たす重要な役割を理解しておかなければなりません。民主主義が存在しなければ市場メカニズムの作用に対して何らかの障壁が生じることになります。実際に民主主義と市場とその他の制度的機能をうまく結びつけた日本の経験がこのことをよく示しています。そしてアジアの近隣諸国も近年においてだんだんと同じ経験を積み重ねてきています。

経済成長達成のためには、権威主義的体制のほうが適しているという主張が――たいてい故意に都合の良い証拠だけをその裏付けとしていますが――たびたび繰り返されていますが、この主張は広範な国家間比較では何ら実証されていません。二十年間にわたる実証主義的研究は、政治的環境の不毛があっても、経済環境の支えがあれば市場経済は成功することを明らかにしました。

私が今論じている権利の剝奪、人間の安全保障、危機の問題は、どのように民主主義の課題とかかわっているのでしょうか。もちろん、基本的な政治的自由と市民的権利の否定自体が、権利の剝奪であるということです。故小渕恵三首相が前回の会議「アジアの明日を創る知的対話」における洞察力あふれる開会の挨拶のなかで、人間の安全保障という概念を広い視野に立って捉えることの必要性を強調して、次のように述べました。

人間は生存を脅かされたり、尊厳を冒されることなく創造的な生活を営むべき存在であると信じています。「人間の安全保障」とは、比較的新しい言葉ですが、私はこれを、人間の生存、生活、尊厳を脅かすあらゆる種類の脅威を包括的に捉え、これらに対する取り組みを強化するという考え方であると理解しております。

私たち人間が生きてゆくうえで、(抑圧からの) 解放を、そして表現と行動の自由を大切にしなくてはなりません。このことは、私たちの尊厳にとってだけではなく、創造性にとっても重要であるかもしれません。

私たち人間自身は社会的な生き物として生きています。いかなる制約もなしに政治活動や社会活動に参加することに価値を見いだすのは当然です。また、十分な情報を基礎として画一化されない価値観が形成されるためには、コミュニケーションや議論は開かれたものでなければならないのです。政治的自由と市民的権利はそうした価値観の形成プロセスにとって中心的な役割を演じます。さらに私たちが何に価値を置くのかを公の場で表明して、人々の注目を引くためには、言論の自由と民主主義的な選択の自由は不可欠なものなのです。

このように、民主主義、集会の自由、政治参加の自由には、本質的な重要性があるだけではなく、構成的な役割も担っています。

さらに、民主主義と人間の安全保障のあいだには根本的な結びつきが存在します。政府が必ず人々のニーズに応えて、また苦境にある人々を支援できるように、民主主義の手段的な役割——選挙、多党政治、報道の自由など——は、きわめて実際的な重要性を持ちます。

これらの結びつきを分析するためには、政府や公職関係者や団体を動かす政治的インセンティヴ（誘因）についてよく考えなければなりません。人々の批判に直面し選挙で支持してもらわなければならない場合、統治する側には、人々の要求に耳を傾けるべき政治的インセンティヴがあるのです。

したがって、民主主義形態の政府や比較的自由なメディアが存在する国々では大飢饉と呼べる事態など一度も起こったことがないという事実も何ら驚くに値しないのです。大飢饉が実際に発生したのは、古代の王国や現代の権威主義的社会、または原始的な部族コミュニティや近代的なテクノクラート（高度な専門知識のある官僚）による独裁体制、北からの帝国主義的支配を受ける植民地経済や専制的な国家主義的指導者あるいは一党独裁体制下におかれた南の新興独立国家などにおいてです。

ところが、それらとは逆に、定期的に選挙が行われ、批判をはっきり表明できる野党が存在し、大規模な検閲なしに政府の政策の妥当性を問いただすことができる報道の自由がある民主主義の独立国家においては、大飢饉が本格化するようなことは一度もありませんでした。現時点において、深刻な飢饉が発生している北朝鮮（朝鮮民主主義人民共和国）とスーダンは、まさに権威主義体制の典型のような国々です。

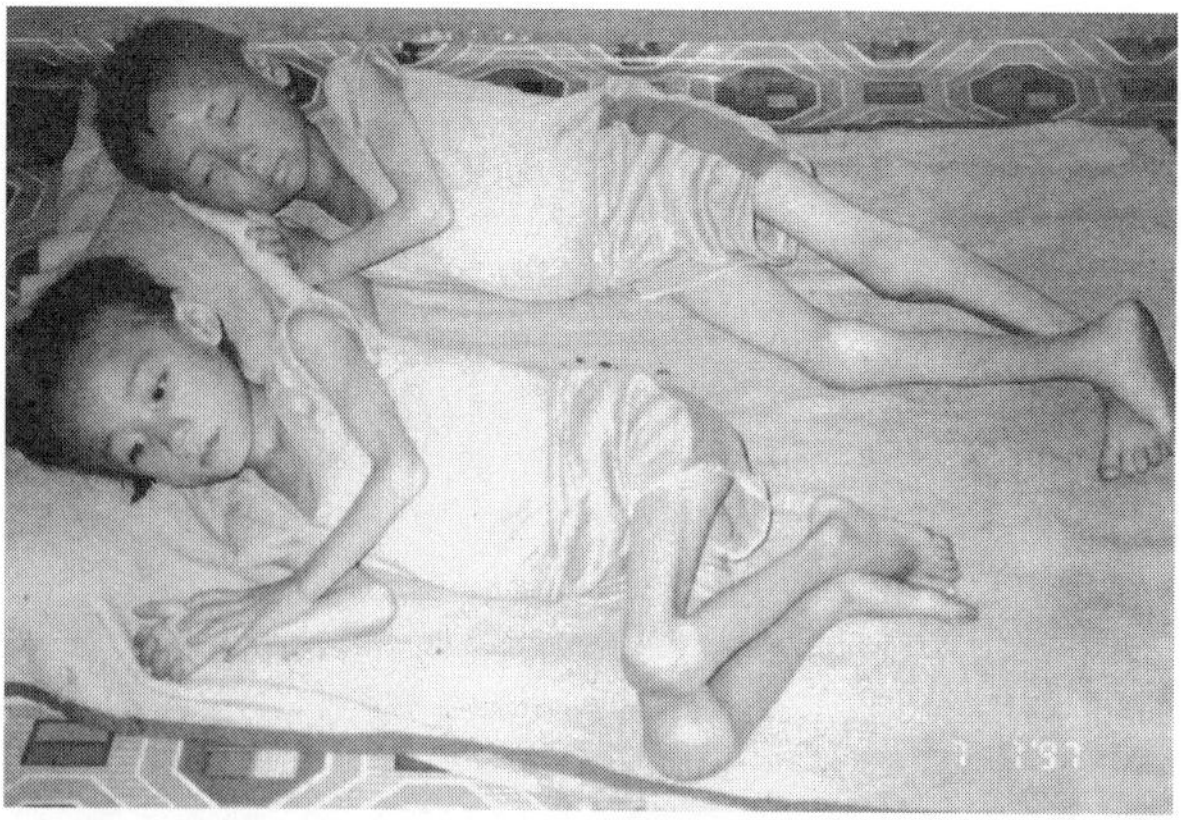

北朝鮮・平壌近郊。飢饉でやせ細った子供たち（1997）

スーダン・イロール。支給された穀類を持ち帰る住民たち（1998）

物事が順調に運んでいる場合には、民主主義の保護的な役割が切望されることはあまりないかもしれません。しかし、何らかの理由で事態が大混乱に陥った時にこそ、民主主義の保護的役割はその真価を発揮してくれるものなのです。

その場合には、民主的な統治が生み出す政治的インセンティヴがすぐれて実際的な意義を帯びてきます。ここには、重要な政治的な教訓だけではなく、経済的な教訓もひそんでいるのかもしれません。多くの経済テクノクラートは、市場システムが生み出す経済的インセンティヴの利用を奨励しながら、民主主義制度が保障する政治的インセンティヴのほうは無視してしまいます。どんなに経済的インセンティヴが重要なものであっても、政治的インセンティヴの代わりを果たすことは不可能なのです。そしてまた、政治的インセンティヴが十分機能できるシステムが欠落している場合、その空白を経済的インセンティヴの力によって埋め合わせることもできません。

第五の教訓――人間の安全保障とアジア危機と貧しい人々の声

東アジア、東南アジアの最近の問題から特に明らかになったことは、民主的自由の制限が多くの不利益をもたらすということです。それが最も顕著にあらわれているのは、「保護のための安全保障」と「透明性の保証」という手段としての働きを持つ自由の二つの重要な側面が、ずっと無視され続けてきたことに結びついています。

まず、東アジア、東南アジアの民主主義にかかわる第一の問題とは、「保護のための安全保障」と結びついています。

一九九七年に始まった金融危機が、全般的な景気後退を引き起こすと、民主主義の保護的な作用がこれらの地域におけるいくつかの国々では決定的に欠落していることが明らかになりました。そこにおける民主主義の保護的な作用は、民主主義的な国々において飢饉を防止する予防作用とまったく同じものです。たとえば、インドネシアや韓国などでは、経済危機のために新たに財産を失った人々が、陳情を聴取してもらえる場所を必要としていましたが、そのような場所はありませんでした。総国民所得［あるいはGNP］が五％ないし一〇％減少したとしましょう。しかし、不況による負担が社会全体で広く分担されずに、失業者や新たなリストラで解雇された労働者などその負担に耐える力のない人々に重荷が集中すれば、何百万という人人の生活が破綻し、困窮状態に陥ってしまうこともありうるのです。

インドネシア経済危機の犠牲者たちは、景気が上昇気流に乗っていた時には、民主主義に対してそれほど強い関心は抱いていなかったかもしれません。しかし、一部の人々が真っ逆さまに転落した時、民主主義的な制度が欠落していたためにその人たちの声は押さえられ、黙殺されました。民主主義がもたらす保護的な安全保障はそれが最も必要とされる時に、その欠如が人々に強く意識されるものなのです。民主主義が主な関心事として浮上したのは、まさに危機的事態が到来した時でした。その際に経済的困窮に陥った人々が、政治的な発言力の必要性を強く意識したことは驚くべきことではありません。近年の韓国のすぐれた経験が示したように、たとえそれが経済的緊急事態の時だけであったとしても、民主主義の活力が発揮されれば、権利の剝奪や社会不安などの重大な問題にみごとなくらい敏速に対処することができるのです。

さてさらに、アジア地域の民主主義の問題として、「透明性の保証」の欠如と近年の経済危機との本質的なかかわりが存在します。

韓国、インドネシアのような一部の国々の金融危機は、商取引における透明性の欠如と密接に結びついています。それは、とりわけ、金融および商取引の制度に対する公のチェック機能がなかったことと深くかかわっています。民主的な討議が可能な機構が存在していたならば、上層部の不正行為、たとえば高級官僚と財閥系企業の裏取引などを防ぐのに役立ったはずです。一般市民が、財閥ファミリーや企業グループの行動や影響力をチェックできる機能が整備されていたならば、事態は大きく違っていたはずです。

ＩＭＦ（国際通貨基金）が、いくつかの国に対して、金融改革と説明責任の規律を課そうとしました。その背後にあるＩＭＦの動機を理解するのは難しいことではありません。それは、これらの国々には公開性と情報開示が欠如していて、道徳意識の低い企業連合の関与があったからです。

それはまた、これらの経済の主要部分に関する特徴でもあります。これらの特徴は不透明な商取引のシステムとも密接に結びついています。人々が現金を銀行に預金する際、それが他の預金とともに不当なリスクに巻き込まれぬよう、リスク開示をともなう運用を期待するのは当然のことではないでしょうか。しかし、信頼が裏切られることが多くあったので、金融制度改革の必要がありました。

私はここで、ＩＭＦの危機管理がすべて正しいものであったかどうか、またこれらの経済に改革を性急に要求せずに金融への信用が再び回復するまで待つのが賢明だったかどうかについて、コメントをするつもりはありません。どのような戦略が最善の結果をもたらすことができたかと問うつもりもありません。

しかし、「透明性の自由」が果たすべき役割には、疑いをさしはさむ余地がないのです。むしろ、「透明性の自由」の欠如が、アジア危機のプロセスにおいて決定的な役割を演じたといえましょう。いずれにせよ、アジアにおける変革の必要性は非常に高かったのです。

金融制度には複雑な要素が多く、東アジア、東南アジアの国々のさまざまに異なる経済が直面している問題も、決して一様ではありません。しかし、インドネシアや韓国のような一部の国の経済において、民主主義的な批判が可能であったならば、異常に高いリスクと不正融資のより厳密なチェックを行うこともできたはずです。

ところが、もちろんインドネシアでも韓国でも、政府外からの請願を認める民主主義のシステムが、数十年にわたって機能していませんでした。批判勢力のない統治権力は、いともたやすく、説明責任と情報開示の欠如を当然視しがちです。そして、それは行政と金融界のボスとの固いファミリー的絆によっていっそう強化されることが多々ありました。経済危機の発生には、政府の非民主主義的な性格が深くかかわっているのです。

結びの言葉

私はこの講演で、成功例と失敗例の両方を取り上げながら、アジアの経験を幅広い枠組みのなかでとらえようとしてきました。

私は、発展というものを人間のさまざまな自由の拡大のためのプロセスとして理解しています。そして、そのような自由のどれもがそれ自体本質的に重要であり、相互に支え合いながら存在しているのです。それらの自由を支えるためには、多様な相互機能を果たす制度が必要とされます。市場もその重要な構成部分です。しかし、市場の機能もまた広い分野にわたって多面的に補われなくてはなりません。

講演のなかで述べた議論は、すでに別のところで、特に私の著作 *"Development as Free-*

dom"（邦題『自由と経済開発』）のなかで探求したもう少し綿密な分析に依拠しています。

その著作では、相互に関連しあうばかりでなく、多岐にわたって制度的発展を必要としている、さまざまなタイプの自由の多様性と重要性、そして自由が広い領域において果たす役割が研究されています。私がここで論じたかったのは、「東アジアの戦略」の本質と、このような全体的な視点からながめれば、その実効性はもっと十分に理解されるのではないかということです。

事実この視点からは、（1）東アジア、東南アジア経済の成功と、（2）これらの地域が直面する多くの問題と困難の本質を解き明かすための何らかの手がかり、が与えられます。

そして、自由こそは発展の重要な手段であると同時に主要な目的であると見なされなくてはなりません。

手段として役立つ自由の役割はそれぞれ異なるにもかかわらず、互いに関連しています。なかでも経済的便宜、政治的自由、社会的チャンス、保護のための安全保障、透明性の保証などに注目する必要があります。偶然なことに、さきほどの私の著書はアジア経済危機が発生する直前の一九九六年十一月に世界銀行で行った連続講演に基づくものです。講演のなかで述べていた懸念が早くも現実と化してしまったことを知った時には、憂鬱な気分になりました。

東アジア、東南アジアの主な成功例の基礎となった「今までの戦略」は、さまざまな制度の相互補完性を利用することであり、そして特に市場の機能を決定的に補完する公共政策を通じて社会的チャンスを創出することでした。日本はこの根本的な取り組みの採用に踏み切ってリーダーシップを取りました。その後を追って、東アジア、東南アジアが経済的成功を実現させました。

この取り組みは、世界において新しいものであったために最初は理解されにくかったのです。しかし、市場を効率化して機能させせつつ、社会的チャンスの創出を行うというこの視野の広い取り組みを理解できなかった経済は、たとえアジアに位置していようとも、その無知ゆえにみずから苦悩しています。私の母国インドがそのよい例です。

しかし、発展とは長期的な経済成長だけにかかわっているわけではなく、長い目でみた公正を伴う成長の問題でもありません。繁栄をきわめている経済ですら突然に深刻な問題に見舞われることがあります。こうした問題が発生した時には、さまざまな社会構成集団が分裂し明暗を分けて困窮に陥ることもあるのです。これこそが、「公正を伴う成長」の要求に含まれていない人間の安全保障が、なぜきわめて重要であるかの理由なのです。

この地域の未来のために新しい戦略を模索するにあたっては、保護のための安全保障の必要性をきちんと把握しておかなければなりません。これは「東アジアの戦略」をアジアやその他の地域で広めてゆくうえで大切なことです。

民主政治という問題もまたきわめて重要です。なぜなら、政治的自由の否定それ自体が権利の剝奪を意味すると同時に、参加型の開かれた政治システムが生み出す政治的インセンティヴが決定的に重要だからです。そうした政治的インセンティヴによってこれらの困窮に陥った人人はみずから発言する機会を与えられ、それがまた保護のための安全保障の推進につながってゆきます。これに加えて、論議を戦わせる民主政治のシステムは説明責任の所在を明らかにして、近年のアジア経済危機において致命的な役割を演じた金融機関の不正行為などの予防に役立ちます。

いま述べたようなところに欠陥があって、アジアの経済戦略と社会戦略を変更しなければならないとしましょう。その場合、異なった制度が互いに補完し合うようにするための基本的な英知を、何らかの方法で強化する必要があります。そのように認識することが重要なのです。

アジアは、制度は相互に補い合うものであるという考え方に基づく発展の哲学を上手に活用してきました。アジアは、人間の安全保障の問題に関しても、同じように広大なヴィジョンを創り上げることによって、この哲学をさらに上手に生かすことができるはずです。「新しい戦略」は——特にさまざまな制度の相互補完性を真剣に受けとめることの必要性を理解したうえで——古い戦略の根底にある基本的な知識の枠組みの中で練り上げることも可能でしょう。しかしながら、「新しい戦略」を模索するにあたっては特に、保護のための安全保障、参加型政治、透明性のある説明責任など、この戦略を適用する対象を広げられなくてはならないのです。

九世紀の中国の詩人、文人である司空図《しくうと》[2]は、古いものを新しいものと融合するという普遍的なテーマについて、「与古為新」――古きに与《あずか》り新しきを為《な》す（古いことにかかわりつつ新しいことを行う）――というきわめて洗練された表現で語っています。これはもちろん司空図が『二十四詩品』のなかで文学的創造についてふれているのであって、社会や経済の発展について語った言葉ではありません。しかし、千年以上も昔に新しいものと古いものの融合について表現したこのメッセージが、今日における新しい経済制度や社会制度の創造にもたいへんよくあてはまります。

私はここまで、さまざまな制度の相互補完性について従来の認識を尊重しつつ、さらに新たな形を与えて、それらの制度の相互に補い合う範囲や適用対象を広げる必要があることを論じてきました。最後に、この司空図の言葉、「与古為新」――古きに与り新しきを為す――を再び提唱しつつ、この講演を締め括りたいと思います。

一九九九年　シンガポール「アジア・太平洋レクチャー」講演

人権とアジア的価値

アメリカで独立宣言が採択された一七七六年に、トーマス・ペイン(3)は『コモンセンス』のなかで、アジアは自由を〝永久追放〟してしまったと嘆いています。彼がこのように嘆いたのは、アジアも世界の他の地域と同じだと考えていたからであり、アメリカだけは別であって欲しいと願っていたわけです。

自由は長いこと世界中で追われてきました。アジアとアフリカは自由を永久追放しました。ヨーロッパは自由を異邦人とみなし、イギリスは自由に退去命令を出しました。

ペインにとって、政治的自由と民主主義は普遍的価値を持つものでした。しかし、それらが世界中ほとんどの所で侵害されていたのも事実です。自由と民主主義に対する侵害は、ペインの時代ほど広く見受けられないにせよ、今日においても世界の一部の地域では存続しています。しかし、明らかに違う現象もあります。自由の普遍的な意義を否定する新しい型の論争が生じているのです。

そのような論争のうちで最も有名なものが、自由には西欧で認められているほど重要な意義はない、それがアジア的価値観だという主張です。これはさらに次のように続けられます。もし価値体系にこのような相違があるならば、アジアはアジア独自の政治優先の価値体系に忠実であるべきだ、と。

アジアと西欧のあいだに横たわっているとされる文化的差異や価値観の相違は、一九九三年の国連世界人権会議において、いくつかの政府代表団によっても強調されました。「普遍主義というものが現実に存在する差異を否定したり、覆い隠したりするのであるならば、人権の理想を普遍的なものとして承認することは害を及ぼす」と、シンガポールの外務大臣は警告しました。

また、中国政府の代表団は、地域的な差異を強調して、それを議定書採択の規範的枠組みの中に盛り込むために主導的な役割を演じました。中国外務省のスポークスマンみずから、「それぞれの個人は、個人の権利よりも国家の権利を優先させなければならない」という提案を公式に表明しました。その提案は、中国やそのほかの国々にぴったりあてはまりそうな気がします。

アジア的価値観は、西欧的価値観ほど自由を擁護せず、秩序と規律を重視するという主張について、また、西欧に比べてアジアでは、政治的自由および市民的自由の領域における人権を要求することは適切ではない、という主張について検討してみましょう。アジア的価値観の本質的特殊性を論拠としてアジアの権威主義を擁護しようとする主張もまた、歴史的検証を必要としていますが、それについては、このあとすぐに論じるつもりです。

また、それとは異なる路線の論理も存在します。それは、アジアにおける経済発展にかかわる利害のために権威主義的な統治の正当化を主張するものです。アジア的価値観の偉大なる擁護者であるシンガポールの元首相リー・クアン・ユーは、アジア的価値観には経済的成功を促進する効果があるという論拠のもとに、権威主義的体制を擁護しようとしました。歴史的検証に移る前に、このリー・クアン・ユーの論説を吟味したいと思います。

アジア的価値と経済発展

権威主義とは、本当にそんなにうまく機能するものなのでしょうか。

韓国、リー政権下のシンガポール、改革開放後の中国など権威主義的体制国家のほうが、インド、ジャマイカ、およびコスタリカなど権威主義体制ではまったくなかった国家と比較して、経済成長率を加速化したのは、事実であるかもしれません。

しかし、この「リー仮説」と呼ばれるものは、入手可能なあらゆるデータの一般的統計によって検証されているわけではなく、任意に選んだ情報に基づいているのです。アジアにおける中国や韓国のような高い経済成長の例をもってきて、権威主義体制のほうが、経済成長の促進には好ましいとする〝決定的証拠〟にはできないのです。

なぜならば、アフリカのなかでも最高の経済成長を記録してきたボツワナのケースからは、

リー・クアン・ユー

シンガポールの街並み

シンガポール国際通貨取引所

まったく逆の結論を引き出すことができるからです。実際、ボツワナは世界中で最もすばらしい経済成長の記録の一つを達成しました。そればかりではなく、ボツワナは何十年にもわたって、あのような不幸なアフリカ大陸に位置するにもかかわらず、民主主義のオアシスであり続けてきた国です。状況は正確に把握されねばなりません。

実際には、権威主義的政治体制やそれによる政治的市民的権利の抑圧が、経済発展に有利に作用する一般的証拠はほとんどありません。統計が示すものはさらに複雑です。

また、政治的権利が経済パフォーマンスと対立するという主張は、体系的な実証研究によっても証明されていません。その方向性から関連づけるにしても、ある統計調査は否定的で弱い関係を、他のものは肯定的で強力な関係を示すなど、状況次第で違ってきます。

結局、権威主義的統治と経済発展とは、いずれにしても関係がないという仮説が成立するでしょう。そして、政治的自由と個人の自由はその存在自体に重要性がありますから、いずれも確固としたままであり続けるわけです。

それから、このことは、研究の方法論の基本的な問題にもかかわってきます。私たちは、統計的に示される結びつきだけではなく、経済の成長と発展にかかわる因果関係の変化についても吟味しなくてはなりません。

東アジアの国々の経済を成功に導いた経済政策と諸条件については、今ではかなりきちんと理解されています。それぞれの実証的研究の力点は異なりますが、「経済成長促進のために役立つ政策」のリストのなかに何が含まれるべきかに関しては、今日ではかなり幅広い意見の一致がみられます。そのなかには、競争の開放性、国際市場の活用、識字能力と学校教育の水準が高いこと、農地改革の成功、投資誘因としての公的整備、輸出と工業化が含まれています。民主主義の発展と完全に矛盾するものはありません。

また、韓国、シンガポール、中国でみられたような著しい権威主義的要素によって、これらの政策が強力に推進されてきたと考えるわけにもいきません。近年のインドの経験が示しているように、経済成長の加速化を促すために重要なものは、それに適した経済的環境であって、荒廃した政治システムではないということを示す確固たる証拠がいくつも存在します。

ちなみに、政治的・市民的権利と、大きな破局の防止のあいだに存在する結びつきを検討することも大切です。

政治的・市民的権利は、基本的欲求に多くの注目を集めて、それにふさわしい公共活動を要求する機会を人々に与えてくれます。切実な問題を抱えている人々に対して政府がどのような対応を示すかは、人々がどのような手段で政府に圧力をかけられるかにかかっています。投票、抗議行動、批判活動などを通じて、政治的権利を行使することによって、大きな変化を生み出すことができるのです。

世界の悲惨な飢餓の歴史の中で、比較的自由なメディアが存在した独立民主国家のなかで、本格的な飢饉が発生した国はいまだかつて一つもないという注目すべき事実を、私は別のところで論じたことがあります。

エチオピア、ソマリアその他の独裁国家で数年前に発生した飢饉、ずっと昔に遡れば、一九三〇年代のソ連のスターリン政権下で起きた飢饉、一九五八年から六一年にかけて大躍進政策失敗後に起きた中国の飢饉〔二千三百万人から三千万人が餓死したと推定されます〕、近年生じた北朝鮮の飢饉などには、この規準が例外なく、当てはまります。

政治的・市民的権利は、飢饉防止との結びつきがいちばんはっきりしていますが、さらに経済的・社会的災害全般を防止する積極的な役割を担うことができます。

物事が順調にうまく運び、すべてがいつものように滞りない状態にある場合には、民主主義が手段として果たす役割が切望されることはあまりないかもしれません。

しかし、何らかの理由で、物事の状況が一転してしまう場合には、民主的な統治が生み出す政治的インセンティヴ（誘因）がたいへん実際的な価値を獲得するのです。市場システムが生み出す経済的インセンティヴだけに集中して、民主主義制度によって保障される政治的インセンティヴのほうを無視すると、非常に不安定な基本原則を選択することになります。

一枚岩的なアジア観

これから、アジア的価値の本質とその重要性について論じていきます。

さまざまな理由から、この問題はそう簡単ではありません。アジアは世界の総人口の六〇%を占めているような広大な地域です。そのこと自体がすでに問題の種なのです。

これほど広大で、これほどの多様性を持つ地域全体の価値として、いったい何を認めればよいのでしょうか。この途方もなく大きく、異質性に富むアジアの人口すべてにあてはまる本質的な価値、世界全体の人々からアジア人を区別することのできる価値など存在しないのです。

アジアを一つの集合体として把握したい誘惑にかられるのは、きわめてヨーロッパ中心主義的なまなざしで、アジアを見つめることなのです。実際に、〝オリエント〟という言葉は、今日においてアジアが意味しているところのものの本質を表すために長いあいだ広く使われてきた言葉ですが、もともとは太陽が昇る方角をさしているにすぎなかったのです。アジアの人々を巨大な一つの集合体としてイメージするためには、ボスポラス海峡のヨーロッパ側に立ってアジアをながめるような誇張された一般化がどうしても必要となります。

実際に、「アジア的価値」の主唱者たちには、東アジアを「アジア的価値」が特に当てはまる地域とみなす傾向がしばしばありました。また、西欧とアジアのあいだのコントラストを一般化しようとする試みは、アジアのその他の地域も〝似ている〟というとても大胆な主張でもあります。

たとえば、リー・クアン・ユーは、「社会と国家という観念に関しては、西欧と東アジアの間には根本的な相違がある」と述べて、「私が東アジアという時には、それは、朝鮮半島、日本、中国、ベトナムを意味して、東南アジアとは区別する。インドの文化自体それらの地域と似たような価値を重視しているが、東南アジアは中国的なものとインド的なものの混合である」と説明しています。

しかし、実際には、東アジアそのものもきわめて多様であり、日本、中国、朝鮮、その他の地域間だけではなく、それぞれの国の内部にも、多くの差異が見出されます。歴史を通じて、この地域の内部における、または外部からのさまざまな文化的影響が、このかなり広大な地域の人々の生活に反映してきました。これらの文化的影響はさまざまな形でまだ生き残っています。

例をあげるならば、私が持っているホウトン・ミフリン社の国際年鑑は、人口一億二千四百万人の日本には、一億一千二百万人の神道信者と九千三百万人の仏教徒が存在すると説明しています。日本においては、仏教信仰と神道信仰が、同一人物の心の中でもしばしば共存可能なのでしょう。

文化と伝統は東アジアのような広大な地域で、特に日本、中国、朝鮮などでは重複しています。それゆえに、「アジア的価値」についての一般化の試みは極端に乱暴なものにならざるを得ないのです。そのような試みはまた、多様な信仰、信念、関与が存在するこの地域の民衆にとっては、強制、そして時には暴力を意味することすらあるのです。

シンガポールの政治的リーダーシップによる服従主義やアジア的価値についての政府の公式見解が、こんなにも権力をふるっているという事実があるにもかかわらず、二百八十万人のシンガポール人は、文化的、歴史的伝統におけるたいへんな多様性を維持しているのです。

自由、民主主義、寛容

アジアの伝統の多様性をいかに認識しようとも、それによって、アジアの文化内部に個人の自由と政治的自由への関与が存在するか否かという問題に決着がついたわけではありません。なぜならば、それぞれに異なるアジアの伝統が存在するにもかかわらず、いくつかの共通点をあげることも可能だからです。

たとえば、西欧に比べてアジアの国々では、年老いた両親など年長の家族に対する待遇が格別であると、主張されてきました。このような主張に反論してみせることは可能でしょう。しかし、たとえあれこれの類似性がアジアの多様な文化を横断して見出せるとしても、それらはアジア固有の現象でも何でもないのです。

しかしまた、多様性というものをあらゆる分野に無理にあてはめようとする必要もないのです。ここで問われるべき重要な問題はむしろ、アジアの国々が一様に秩序や規律を重んじるかたわら、自由や解放に対して懐疑的であるかどうかということです。アジアの特殊性を主唱する論者たちはしばしば、アジア内部の多様性を認めながらも、自由権に対する不信感を共通に抱いていると、あからさまに、または、ひそかに主張してきました。

アジアにおける権威主義的な論法は、西欧自体の思考様式から間接的な支持を受けているのです。また、たとえ暗黙のうちであるにせよ、アメリカとヨーロッパには、次のような想定を行う傾向があるのは確かです。それは、アジアには容易に見出しえない政治的自由と民主主義の卓越性こそ、西欧文化の基本的古典的特色であるというものです。

儒教の中にひそんでいるとされる権威主義と、西欧の自由主義的文化に深く根ざしていると信じ込まれている個人的自由と自律性の尊重を対照化させているのです。個人的自由や政治的自由を非西欧世界で推進している西欧人たちは、西欧的価値のアジア・アフリカへの導入をしばしばそのようにみなしています。

こうした動きには、現在から過去にさかのぼって推論する傾向が強くみられます。ヨーロッパ啓蒙思想とその他の比較的最近の発展によって広まっていった価値観は、数千年にわたり西欧で経験された長年の遺産の一部とみなすことはできません。

実際に、「個人的自由という考えが西欧ではじめて明確にされた」のは、いつのことであり、どのような環境のもとであったのかという質問に答えて、イギリスの政治哲学者アイザイア・バーリン(4)が述べています。「私は、古代世界において形成された確証を見つけていない」と。

これは、オルランド・パターソンや他の学者たちによって反論されました。パターソンは、西欧文化があらわしている特色として、特にギリシャ・ローマ時代とキリスト教の伝統において、個人的自由の限定された保護が存在したことを指摘しています。

きちんとした解答が得られないどころか問われることすらほとんどない問題があります。西欧以外の文化には同じような構成要素が存在しないのかどうかということです。アイザイア・バーリンの主張は、現在私たちが理解している個人の自由の概念にかかわっています。

また、個人の自由が「はっきり形成され」ていないことにより、包括的概念から構成要素を選ぶべきであるとの主張がなされ支持されるのです。そのえり抜きの構成要素によって、すべての人々に請求権のある個人の自由という今日の概念は補われています。そのような構成要素はギリシャ・ローマ世界やキリスト教思想のなかに存在していますが、どこか他にも、非西欧文化にも存在しないかどうかを調べなければなりません。その際、西欧においてもまたアジアおよびその他の地域においても、全体よりも部分を吟味すべきです。

この点をわかりやすく説明するために、すべての人々にとって重要な個人的自由は、善き社会全体にとっても重要であるという考え方を検討してみましょう。この主張は、はっきりと区別できる二つの構成要素から成り立っているとみなせます。

すなわち、（1）個人的自由の価値――個人的自由は重要なものであるがゆえに、それは、善き社会で「重んじられる」すべての人々に保障されなければならない。（2）自由の平等性――すべての人々に重んじられているがゆえに、すべての人々が自由を平等に得るべきである。

これら二つの構成要素を合わせて共通の原則とすることによって、個人的自由はすべての人に保障されます。

アリストテレスは（1）の命題を大いに支持していましたが、女性と奴隷を排除しており、（2）の命題はほとんど擁護しませんでした。また、（2）のかたちで、平等の擁護が始まったのはかなり最近のことなのです。

たとえば、階級やカーストによって階層化が進んでいる社会では、中国の宮廷官僚やインドの最上位カーストであるバラモン階級のような恵まれた少数者に限って、自由が重要な価値を持つものでした。ギリシャの善き社会についての概念もこれと同様で、自由は奴隷ではない人にとってのみ価値がありました。

役に立つもう一つの区別は、（1）寛容の価値――さまざまな人々のあいだの多様な信念、関心、行動に対して寛容でなければならない、（2）寛容の平等性——ある人々に与えられる寛容は、理にかなう限りすべての人々に与えられなければならない。ある人々に対する寛容が他の人々に対する非寛容に結びつく場合は除かれる。

初期の著作には、寛容の主張がたくさん見つかりますが、それは寛容の平等によって補完されてはいません。このように、近代の民主主義思想や自由思想の起源は、全体的に捉えられるものではなく、構成要素としてのみ見出されるのです。

秩序と儒教

今おこなっているくわしい分析の一環として、これら本質的な構成要素が、西欧の思想のなかに見出されるのと同じかたちで、アジアの著作にも見られるかどうかを問題にすべきです。こうした構成要素があるからといって、そのことによって、自由や寛容をあからさまに重視しない思想や理論が存在しないということにはなりません。秩序と規律の擁護は、アジアの古典だけではなく、西洋の古典にも見出すことができます。

たとえば、この点で果たして孔子のほうがプラトンや聖アウグスティヌスよりも権威主義的だったのかどうかは、私にもわかりません。真の問題は、こうした自由を否定する考え方が、アジアの伝統に存在しているのかどうかではなく、自由志向の考え方がアジアの伝統には不在であったかどうかなのです。

この点に関して、アジアの価値体系における多様性の存在が重要なのです。その価値体系は、アジアの地域的多様性と一体のものですが、それを超えてゆくものでもあるのです。明らかな例は、思想の形態としての仏教が果たしている役割です。

仏教の伝統では、自由というものがたいへん重視されています。そして、初期のインドにおける理論構築のなかで仏教思想が関係している部分には、意思力と自由な選択のためにかなり広い余地を与えています。高潔な行いは自由のうちに実現されなければならないとされています。そして、解脱《げだつ》のような仏教の解放の考え方にさえ、このような特色があります。

仏教思想にこのような要素が存在することは、儒教が重視する秩序と規律が、アジアにとって重要であることを完全否定するものではありません。しかし、儒教だけがアジアの唯一の伝統であるとすることも誤りです。それは中国についてすらあてはまりません。アジア的価値が権威主義的だとする現代の解釈の多くが儒教にのみ集中し過ぎているので、このような多様性は特に強調しておくべきです。

現在、アジア的な価値の擁護者のあいだで規準になっている儒教の解釈は、孔子の教えの中にある多様性を正しく扱っていません。これは、シモン・レイが最近指摘して、注目を集めたことです。

さらに言うと、孔子は国家への全くの忠誠を勧めたわけではありません。子路《しろ》が「主君にはどのようにお仕えすべきでしょうか」とたずねると、孔子はこう答えました。「主君を欺かず、真実を告げて諫めよ」。おそらく、現在のシンガポールや北京の検閲官たちならば、孔子のこの答えに狼狽することでしょう。

しかし、「国家に道理のある時には、大胆に語って、大胆に行動せよ。国家が道理を失った時には、大胆に行動し、静かに語れ」という孔子の言葉にもあるように、孔子は、臨機応変の才を嫌悪していたわけではありませんでした。そうではなく、もしそれが必要であるならば、智謀をめぐらせて、悪政に対する批判に挑むべきであると孔子は勧めているのです。

想像の産物であるアジア的価値体系の二つの柱とされる、国家への忠誠と家族への献身は、たがいに激しく対立しかねないと、孔子ははっきり教えています。

楚の国の長官である葉公が孔子に言いました。「私どもの村には曲がったことが大嫌いな正直者がいます。自分の父親が羊を盗んだ時、息子がそれを知らせました」。これに対して、孔子はこう答えました。「私どもの村の正直者はそれとは異なります。父は息子をかばい、息子は父をかばいます。正直とは、そのようなふるまいのなかにあるのです」

作家エリアス・カネッティ(5)は、孔子の教えを理解するためには、私たちは孔子が語ったことだけではなく、語らなかったことも吟味しなければならないと、指摘しています。しばしば

〝孔子の沈黙〟と呼ばれているもののなかに秘められている意味の巧妙さは、明確な主張でなければすべて暗黙裡に禁じなければならない、と考える傾向がある現代の禁欲的な解釈者たちには、捉えがたいものなのでしょう。

孔子が民主主義者であったとか、自由や政治批判の擁護者であったとかいう主張をするつもりは私には全くありません。しかし、現代のアジア的価値の擁護者たちが示しているような孔子の権威主義的なイメージを疑問視するのには、十分な理由が存在するのです。

自由と寛容

中国からインド亜大陸へ私たちの視線を移します。

そこでは、〝孔子の沈黙〟のような解釈上の困難が特に生じる危険はまずないでしょう。なぜならば、芸の細かい話術と、明瞭で精緻な言葉によって終わりのない論争を行う弁論の才に関しては、インドの伝統を凌ぐのは生易しいことではないからです。

インドは世界で最も豊富な宗教文学を誇っているだけではなく、古代文明の全期にわたって、無神論や唯物論についてあらわされた著述も桁外れに多くあります。あらゆるジャンルの書物がすべて揃っています。

ギリシャ古典の『イリアス』『オデュッセイア』としばしば比較されるインド古代の叙事詩

『マハーバーラタ』は、実に『イリアス』『オデュッセイア』の七倍の長さです。

宗教的・政治的リーダーであったラム・モハン・レイによって十九世紀にベンガル語で綴られた詩は、現実の死の恐怖について詠んでいます。

「あなたが死ぬ日のことを想像してごらんなさい。それはどんなに恐ろしいことであるかを。他の人々は果てしなく語りつづけています。しかし、あなたにとってはそれに答えることすら不可能なのですよ」

長時間にわたる論争を愛好することそれ自体は、アジア的価値として擁護されている平静な秩序や規律とは緊張関係にあります。

しかしまた、インドで書かれてきたもののなかには、自由、寛容、平等について多様な見方が存在していたことが示されています。

平等主義に基づく寛容が必要なことをはっきりさせていて多くの点で最も興味深いものは、アショーカ大王(6)の書いたもののなかにあります。

アショーカ大王は、紀元前三世紀にインドのどの王よりも――ムガール帝国や藩王国よりも、あるいはイギリス人が手をつけなかった土侯国をのぞいた――巨大な帝国を支配していました。アショーカ大王は、カリンガ王国――現在のオリッサ州――に勝利をおさめた戦闘で目撃した殺戮に恐れをなしてから、公共の倫理や啓蒙的な政策に大きな関心を抱くようになります。仏教に改宗して、その仏教的メッセージを伝える使者を国外に派遣して、仏教が世界宗教になるために一役買いました。それだけでなく、善き生活とはどのような形態のものか、善き統治とはどのような性質のものかを銘記した石碑を国中に建てたのでした。

この碑文は多様性を寛容に扱うべきことを特別に重視しています。たとえば、エラグティの勅令はこの問題を次のように述べています。

人は自分の宗派だけを崇拝して、理由もなく他の者の宗派を軽んじてはならない。軽視したりするのは、特別の理由がある時だけにすべきである。なぜならば、他の人々の宗派はすべて何らかの理由で崇拝に値するからである。このように行動することによって、人は自分の宗派の地位を高め、同時に他の人々の宗派を助けることにもなる。これと反対の行動は自らの宗派を損ない、他の人々の宗派にも害を与える。自分の宗派を崇拝する一方で、自分の宗派に対する愛着から、他の人々の宗派を軽んじて、自分の宗派の栄光を高めようと意図する人は、そのようなふるまいによって、実際には、自分自身の宗派にもっとも深刻な損害を与えるのである。

この紀元前三世紀の勅令には、政府による公共政策と市民相互間の行動に関する忠告として、寛容の重要性が強調されています。

寛容の適用される領域と範囲の広さについては、アショーカ大王は普遍主義者だったといえます。そして、彼が「森の人」と呼んだ、農業以前の経済形態の中で暮らしていた部族民も含めた、すべての人への寛容を要求しました。

アショーカ大王は、仏教改宗以前の己の行いをみずから非難して、カリンガ王国における戦争についてこう記しています。

「十五万にも達する人間と動物が捕えられて、カリンガ王国から連れ去られた」

さらに、残虐な殺害や捕虜についても述べています。

「カリンガ王国で当時、戦争で殺害されたり、死に至ったり、または、捕獲されて連れ去られた十万、いや百万もの人々のことを思うと、悲痛の思いがする」までになり「不敬な態度をとるものがあったとしても、その侮辱は許されるべきである」

とみずから断言するに至っています。

アショーカ大王は、あるべき国家の姿を「侵害することなく、節度があり、公平で、柔和な態度で」「すべての生きとし生けるものに対して」接することであるとしています。

ある論者にとっては、アショーカ大王の平等主義的で普遍的な寛容の擁護は非アジア的に見えるかもしれません。しかし、彼の考え方は、それに先立つ数世紀にわたりインドの知的サークルの間ですでに広く受け入れられていた物の見方にしっかりと根ざしているのです。
しかしながら、ここでもう一人のインド人の著述家を検討することには、興味をそそられます。その人物が書いた統治の方法や政治経済に関するその論文は大きな影響力を誇っていました。

この人物こそが、『アルタシャーストラ』の著者カウティリヤ(7)です。その題名は「経済学」とでも訳すことが可能でしょうが、内容は少なくとも経済と同じくらい実践的な政治にもかかわっています。カウティリヤは紀元前四世紀に生きた人で、アリストテレスと同時代人でした。アショーカ大王の祖父であるチャンドラグプタ・マウリヤ王の宰相でもありました。同王はインド亜大陸全体に巨大なマウリヤ王朝を築いた人物です。

カウティリヤの著述は、自由あるいは寛容はインドの古い伝統では価値を認められていなかったことのあかしとして、引用されることがよくあります。『アルタシャーストラ』には経済と政治に関して、感銘を受けるほど詳細な記述がありますが、そこにはまた、彼がリベラルな民主主義を支持していないと解釈されがちな二つの側面が認められます。

第一に、カウティリヤは非常に狭い意味での帰結主義者でした。

臣民の幸福と王国内の秩序安定を促進する目標は、詳細な政策助言によって完全に裏打ちされているのですが、王は博愛的な専制君主であるべきで、その権力はしっかりした組織を通じて極限まで増大されなければならないと主張しています。『アルタシャーストラ』は、飢饉防止や行政効率などについて、二千年以上あとの今日でも意味を失っていない実際的なテーマについて、洞察力あふれる考え方と提言を展開しています。しかし、必要ならば、反対勢力の自由を侵害してでも、王は思い通りに事を運ぶべきであるという忠告も与えています。

第二に、カウティリヤは政治的、経済的平等には少しの重要性も感じていないように見えます。

そして善き社会についての彼の見解は、階級やカーストに沿って強固に階層化されています。幸福の促進という目標は価値序列の中でも高い優先性を与えられ、すべての人に適用されるものとされています。

しかし、その他の目標には、形態においても内容においても明らかに平等主義に反するものもあります。王には、社会の恵まれない構成員が苦難から逃れ、幸せに生きるために必要な援助を与える義務があるとされています。

カウティリヤが、特に王の義務とみなしていたのは、「孤児、老人、病弱者、苦しめられている者、困窮者に保護を与えること」、そして「身寄りのない貧しい女性、そして、そのような女性が妊娠中あるいは、乳幼児がいる場合には生活を援助すること」でした。

しかし、こうした援助の義務を認めていても、このような人たちが生き方を自分で決める自由を重んじることや、異質なものに対しても寛容であることとは程遠かったのです。

さて、ここから、どのような結論を得ることができるでしょうか。

たしかに、カウティリヤは民主主義者でも、平等主義者でも、万人の自由の推進者でもありません。しかし、最高に恵まれた上流階級の人々が獲得すべきものについては、自由がきわめて大きく出現するのです。

いわゆるアーリア人である上流階級の個人的自由を拒むことは、容認しがたいとされています。上流階級の成人や子息の年季奉公契約書による拘束に対しては、非常に厳しい処罰を含む規定が明記されていますが、所有奴隷たちの束縛状態はまったく問題なく容認されています。

たしかに、潜在能力を自由に活用することの重要性について、アリストテレスが明確にしたようなものは、カウティリヤには見出すことはできません。しかし、カウティリヤの場合も、上流階級に関する限りは、自由の重要性は自明のことでした。

このような自由は、下層階級に対する政府の義務とは対照をなしています。そのような義務観は、深刻な窮乏状態と苦難を回避するための公的な関心と国家による補助という温情主義の形態をとっています。

しかしながら、善き生活とは何かについての見解に限っていえば、自由に価値を認める倫理体系と完全に一致します。たしかに、この関心の的は狭く、社会の上層のみに限定されます。しかし、奴隷たちや女性たちとは対照的に自由な男性たちに限れば、ギリシャ人の関心と根本的に相違するものではありません。

私は、紀元前三世紀から四世紀のインドで自由を力強く唱えた二人の人物によってあらわされた政治概念と実践理性について、いままで詳細に論じてきました。なぜならば、彼らの考え方は、後世のインドの著述に深い影響を及ぼしつづけているからです。

しかし、インドの政治論者のすべてが、アショーカ大王やカウティリヤと同じような取り組みをしているという印象を与えたくありません。そうではなく、アショーカ大王とカウティリア以前と以後には、彼らそれぞれの意見とは相容れない立場がとられたこともあり、一方では二人のいずれかにより近い者もいたわけです。

ちなみに、例を二、三あげてみましょう。

シュードラカの演劇、アクバルの政治的見解、カビールの詩などさまざまな媒体を通して、寛容の重要性——そこには普遍性が必要なことまでこめられて——がみごとに表現されてきました。

これらの作品のほかに対立意見や別の勧告がなかったわけではありません。注目すべきはむしろ、そういった異種混合のうちに、インドの伝統には多様な見解と思考が含まれているのですが、寛容への支持論、自由の擁護論、さらにまたアショーカ大王の場合は非常に根本的なレベルで平等を支援する議論すらが、違う方法によって、包みこまれていることなのです。

アクバル大帝とムガール帝国

インドにおいて、多様性に対する寛容を力強く唱えて実践した人物のひとりとして、もちろんムガール王朝のアクバル大帝[8]の名をあげなければなりません。

第三代皇帝アクバルは、一五五六年から一六〇五年までムガール帝国を統治しました。

ここでもまた、アクバル大帝が民主主義者であったと論じるつもりはありませんが、彼は巨大な権力をふるった皇帝で、社会的行為や宗教的行為の多様な形態を受け入れることの重要性を強調して、さまざまな人権を承認しました。そのなかには信教と礼拝の自由が含まれていたのです。そのような自由は、アクバル大帝時代と同時代のヨーロッパ各地では、簡単には容認されなかったことでしょう。

たとえば、イスラム暦の一〇〇〇年が西暦一五九一〜一五九二年にめぐってきた時に、デリーやアグラでは人々のあいだで多少の興奮状態がわき起こっていました。それは、キリスト暦の二〇〇〇年が近づくというので一九九八年の現在、起きている興奮状態に似ていなくもない状況です。アクバル大帝は、歴史のこの重要な転換期に各種の勅令を発していますが、それらのなかで宗教的寛容を強調しました。これには次のようなものが含まれています。

だれも宗教を理由にした干渉を受けてはならない。そしてだれでも自分が望む宗教に戻ることが許されなければならない。子供であろうと、だれであろうと、もしヒンズー教徒が意に反してイスラム教徒に改宗させられていた場合は、自分がそれを望むのなら、父親の宗教に戻ることが許されるべきである。

ここにおいてもまた言えることは、彼は宗教以外の分野では寛容ではありませんでした。男女の平等、若者と年長者とのあいだの平等などでは、その寛容には普遍性はなかったのです。ヒンズー教徒の若い女性がイスラム教徒の恋人のあとを追いかけて、彼女の父親と家族を捨てたとしたら、彼女は強制的に父親のもとに送還されるべきだという法令が発せられました。若い恋人たちか、それとも、この女性のヒンズー教徒の父親を支持するのかという選択において、アクバル大帝の同情心は完全に父親の味方でした。

あることに関して寛容で平等であるのに、別のことに関しては非寛容で不平等となることもあります。それらはお互いに結びついているわけです。

しかし、アクバル大帝の治世における信教と礼拝にかかわる全面的な寛容の精神は、驚くほどすばらしいものでした。また、特に「西欧リベラリズム」の押し付けがましい売り込み作戦に対して、アクバル大帝がこのような布令を発している時に、ヨーロッパではちょうど異端審問が最盛期であったことを思い出してみることも有益でしょう。

理論と実践

アジアにおけるこれらの歴史的リーダーたちは、自由と寛容の重要性を強調しただけではなく、なぜそれらは実践されるべきかを説明するためのきちんとした理論を持っていました。このことは、アショーカ大王とアクバル大帝についてたいへんよくあてはまります。

イスラムの伝統はしばしば一枚岩的に見られてしまうので、アクバル大帝の実例を強調することはたいへん重要なのです。アクバル大帝は、実際に、ヒンズー教の哲学と文化に深い興味を抱いていました。しかし、それだけではなく、キリスト教、ジャイナ教、ゾロアスター教を含むそれ以外の宗教にも関心がありました。

アクバル大帝が現実に実現しようと試みたことは、インドのために新しい統一的な宗教を創始することでした。それはディンイラーヒと呼ばれ、インド全土のさまざまな信仰に基づくものでした。

しかしながら、アショーカ大王とアクバル大帝のあいだには、宗教的寛容の形態に関しては、たいへん興味深い対照性があります。

両者によって、国家の宗教的寛容は擁護されましたし、寛容はすべての人々が実践すべき美徳であると両者は唱えました。しかし、国の内外で〝啓蒙〟を推進したアショーカ大王は宗教的寛容を大王自身の仏教的信仰の探求と結びつけていたのに対し、アクバル大帝はインドのさまざまに異なる宗教の〝美点〟を融合させながら、それらを統合しようと試みました。

アクバル大帝の宮廷は、イスラム教徒だけではなく、ヒンズー教徒の知識人、芸術家、音楽奏者で溢れていました。そしてまた、臣下の待遇に関しても、いかなる場合であろうと宗教的差別を行わずに公平であろうと努めました。

ここで記憶にとどめておくべき重要なことは、数多くのムガール皇帝のなかで、アクバル大帝だけが、寛容な皇帝であったわけではないということです。

唯一例外的に寛容ではなかった第六代ムガール皇帝アウランゼーブ(9)は、ヒンズー教徒たちの、今日ならば基本的人権とみなされるものの多くを侵害しました。しかし、アウランゼーブといえどもその家族的背景を考慮されるべきです。彼の近親者のうちには、アウランゼーブのように非寛容な人物は見当たりません。

彼の兄にあたるダラ・シコウ王子はヒンズー哲学に心酔していました。数人の学者の助けを借りながら、およそ八世紀頃のものとされる古典的文献『ウパニシャッド』を部分的にペルシャ語に翻訳する計画を立てていたのも、このダラ・シコウ王子でした。実際には、長子として生まれて父王のシャー・ジャハーン[10]の寵愛を受けたダラ・シコウ王子には王位の第一継承権がありました。ところが、アウランゼーブは兄に闘いを挑んで、殺害してしまったのです。そして、父にあたる皇帝シャー・ジャハーンを残りの生涯が終わるまで幽閉しました。シャー・ジャハーンは囚われの身となって、愛する妃のためにみずからが建造したタージマハール廟を遠くからながめて一生を終えました。

アウランゼーブの息子にあたり、祖父と同じ名を持つアクバル王子もまた一六八一年に父のアウランゼーブに対して謀反を起こしました。

アクバルがこの企てにおいて同盟関係を結んだのは、ラジャスターンのヒンズー王国でしたが、その後にもヒンズー教徒のマラータ王国とともに謀反を企てています——最初の謀反はアウランゼーブによって鎮圧されてしまいました。ラジャスターンにおける戦いの最中、アクバル王子は手紙を書いて、父に対してその非寛容と彼のヒンズー教徒の友人たちに対する侮辱について抗議しています。

実際に、差異に対する寛容という問題は論争者たちのあいだで激しく議論されるテーマです。

若き王子アクバルが同盟を結んだマラータ王国の王シャンブージーの父にあたるのは、今日のヒンズー教徒の政治活動家のあいだでスーパーヒーローとして扱われているシバージ王[11]にほかなりません。シバージ王以後には、ヒンズー教の非寛容派としてシヴ・セナの名をあげることができます。
シバージ王自身は、宗教的差異に対して寛容な態度を取っていました。ムガール帝国の歴史家であるカフィ・カーンは、決してシバージ王の崇拝者ではないのですが、次のように記述しています。

シバージ王は、臣下が略奪を行おうとするといつも決まって、モスク、神の聖典、いかなる女性に対しても危害を加えないように取り計らいました。聖なる経典コーランがシバージ王の掌中に帰すると、王は尊敬の念を込めて取り扱い、イスラム教徒の臣下にそれを譲られたのでした。

寛容のテーマについて書かれたアウランゼーブ宛のたいへん興味深い手紙が残されています。一九一九年に出版された古典的研究書『シバージ王とその時代』の著者でもあるジャデゥナート・サルカル卿を含む何人かの歴史家によると、その手紙の差出人はシバージ王であるとされています。このことに関しては少々疑う向きもあります――ウダイプールのメワール王国のラナ・ラージ・シングが書いた可能性もあるようです。

アウランゼーブの同時代人の誰がこの手紙の執筆者であろうと、そのなかに表現された考えが興味深いものであることには変わりありません。その手紙のなかでは、アウランゼーブの非寛容な態度と、ムガール帝国初期の皇帝たち、アクバル、ジャハンギール[12]、シャー・ジャハーンの寛容な政策を対比して、次のように書かれています。

もし皇帝陛下が、比類なく神聖なこれらのイスラム聖典に信義を置かれているならば、そのなかで、神はあらゆる人類の神であって、イスラム教徒のためだけの神ではないということを教わることでしょう。異教徒とイスラム教徒は神の御前では平等なのです。……要するに、陛下がヒンズー教徒だけに要求される納税義務はこの正義に反するものなのです。

宗教的伝統とそれに関わる政策が対決したこの時期には、寛容というテーマについて、多くの著述家たちが大いに議論を交わしました。寛容について著した最初の著述家のうちの一人は、ガズニーの君主で、モハメッドの軍隊のインド侵攻とともにインドにやってきたペルシャ人アルベルニです。

彼はインドの社会、文化、宗教について学んで、知的探求心が旺盛でした。彼によるインドの数学、天文学文献の翻訳はアラビア世界に、そして最終的には西洋の数学にも深い影響を及ぼしたのでした。しかし、彼はまた異質なものに対する非寛容というテーマについても論じています。

あらゆる作法と慣習において、ヒンズー教徒は、私たちイスラム教徒とは異なっています。それは、ヒンズー教徒の子どもたちが、イスラム教徒とその服装、作法、慣習におびえてしまうほどなのです。そしてまた、私たちに対して悪魔の種族だと罵ったり、私たちのすることをすべて善や正義とは正反対のものであると決めつけたりするほどなのです。公正であるために、私たちもまた告白しなければなりません。一方、外国人に対する蔑視は私たちのあいだにも広がっています。それは、ヒンズー教徒だけではなく、あらゆる民族がお互いに対して共通に行っていることなのです。

ここで話題になっているすべてからわかるように、寛容と自由についての意識的な理論化が、アジアの伝統の本質として重要な部分で行われていたのです。初期のアラビア、中国、インド、その他のアジア文化から生み出された著述のなかにみられるこのような現象についてもっとたくさんの例を、ここで検討することも可能でしょう。

最初のほうで論じたように、現代的な意味での民主主義と政治的自由の擁護は、洋の東西にかかわらず、世界中のどの地域においても、啓蒙運動時代以前の伝統の中に見出すことはできないのです。それゆえに、私たちはこれらの概念の構成要素を探りました。寛容な社会における自由と権利という基本概念は〝西洋〟のもので、アジアにはなじまないとする考え方は、たとえそれがアジアの権威主義と西欧の自己中心主義との双方によってずっと支持されてきたのだとしても、ほとんど意味がないのです。

国境を越える介入

さてここで、時にはアジア的価値の本質とその適応範囲についての論争にかかわってくる、今までとは少し違う問題に移ります。

アジア的価値の擁護は西欧のヘゲモニーに抵抗する必要性にしばしば関連します。最近頻繁に行われているこの二つの問題の結びつけに、ポスト植民地のアジアでは、基本となる政治的権利と市民的権利の抑圧を支持する反植民地主義的な政治勢力が利用されています。

この結びつけはまったく不自然ですが、レトリックとしては非常に効果があります。たとえば、リー・クアン・ユーはアジア的価値の特殊な本質を強調しましたし、また、西欧のヘゲモニーに抵抗する一般例を効果的に利用し、アジア特殊主義の議論を強めました。彼のレトリックは、シンガポールは「アメリカの依存国家ではない」というあからさまに挑戦的な宣言にまで広がったのです。

この事実はたしかに否定できませんし、喝采を受けるに十分な理由にもなりましょう。しかし、ここで問いただされるべきは、このことがシンガポールと他のアジア諸国の人権と政治的自由の問題にどのように影響するかということです。

ここで議論になっているのは西欧ではなく、アジア諸国の市民の政治的権利およびその他の権利なのです。

個人の解放と自由は、西欧の著述のなかで、あるいは政治指導者たちによってずっと擁護されてきた事実はあるでしょう。しかしそのことによって、アジアの人々が違ったふうに抱いているかも知れない自由と解放に対する要求を損なうことはできません。実際問題として、西欧諸国の政治指導者たちが世界の他の地域における自由の問題について、まったくと言っていいほど関心を示さないという苦情が出るのは当然です。

概して、西欧諸国政府はアジア諸国との通商にたずさわる自国民の利益と、また、アジアを支配する政治勢力と友好関係にあるよう自国の企業グループがかけてくる圧力を優先する傾向にあります。そして、その証拠はいくらでもあがっているのです。

西欧政府は噛みつきもしないし吠えるわけでもありません。実際は、吠えたことすらほとんどないのです。かつて毛沢東主席が〝張り子の虎〟と名付けたもの（西欧政府のこと）が、ますます張り子のネズミのようになってしまったわけです。

たとえ私が述べたことが当たっていなくても、また、たとえ西欧政府が本当にアジアの政治的・市民的権利の促進に努めていたとしても、いったいどうしてアジアの人々の人権を危うい状態にできるのでしょうか？　これに関連して、〝人権〟の概念についての厳密な説明がなされなければなりません。

最も一般的には、人権の概念は私たちに共通の人間性を基盤として形成されています。そうした人権はある国の市民権を持っている、あるいは、ある国家の国民であることから導き出されたわけではなく、人間のエンタイトルメント（人間として請求できるあらゆる権利）とみなされます。ですから人権は、たとえばアメリカ国民またはフランス国民であるというような、その国の憲法によって創造され、特定の人々だけに保障される権利とはちがいます。

例をあげるならば、「人は拷問にかけられるべきではない」という人権は、その人がいずれの国民であるかには影響を受けず、したがって、その国、あるいは他のどの国の政府が、こうして欲しいと望むこととはかかわりなく存在します。

もちろん一国の政府は、ある人が「拷問にかけられるべきではない」という法的権利についての異議をとなえることはできます。しかし、「拷問にかけられない」権利は人権とみなさなければなりません。そして、人権に対する異議申し立てはできないのです。

人権の概念は、それを侵害された人の市民権がある国の法律を超越していますから、救いの手は誰からでも差し伸べることができます。権利が脅かされている人と同じ国の市民権が、救い手にあろうとなかろうとかまわないのです。

外国人であっても、自由が侵害されつづけている個人を救おうとするのに、抑圧的な政府の許可など必要としません。実際に、人権が特定の国の国民としてではなく人間としての権利とみなされているかぎりは、それに対応する義務の範囲は市民権に関係なく、あらゆる人間を含めることができるのです。

もちろん、この基本的な認識によって、他人を護りまた助けるためにはみんなでしきりに介入しなければならない、と提案されているのではありません。それでは効果がなく混乱もするでしょう。ここでは、人間活動に慎重を要するいかなる分野におけるよりはるかに、実際に役に立つ根拠が必要不可欠なのです。私は別のところで、権利とその重要性の評価をふくむ、必要な調査の本質について論じました。

いたるところにある介入主義は、一国内においてもあるいは国境を越えても、とりわけ効果あるいは引きつける力があるわけではありません。護るべき自由を求めて世界のすみずみまでさまよう義務はないのです。

人々が他人の権利に対して法に適った関心を持ち、また、それに関連した義務すら引き受ける場合、国籍と市民権の壁は妨げになりません。私がここで主張したいのはそれだけです。どう行動すべきかを決めるより所として、倫理的・政治的検討が、国境を越えて、またそれぞれの領域内にとどまらずになされるのです。

見解のまとめ

権威主義を正当化するために引き合いに出される、いわゆるアジア的価値にはなんら重要な意味はなく、著しくアジア的というわけでもありません。

それがどのようにして西欧に対抗するアジアの理想に仕立てられたのかを、単なるレトリックによって理解するのも容易ではないと思います。ここで論じつづけられているのはアジアの人たちの権利ですし、また、たとえ西欧の罪——世界中いたるところその残骸であふれていますー——が何であろうと、アジアの人たちの権利が、これらの理由で損なわれることはほとんどあり得ません。

自由と政治的権利に対する擁護論は、最終的には、その基本的重要性と手段としての役割しだいで決着します。このような主張は他の地域と同じようにアジアにおいて活発なのです。

私はここまで、アジア的価値とヨーロッパ的価値とを大きく対比させることの有用性を論じてきました。アジアとヨーロッパにおける価値の研究によって学べることは多々あります。しかしそのことで、ものごとを大きく二つに区分して論じる二分法を支持するつもりはありません。

現代の政治的・個人的自由と権利の概念が、今のように形成されたのは比較的近年になってからですから、それらをヨーロッパ文化の〝伝統的な〟関わり合いとみなすのは難しいと思います。これらの関わり合いの重要な前例は、寛容と個人的自由の擁護のなかにあります。しかし、それは西欧と同様にアジアの文化にも十分に見出すことができるのです。

現代世界においては、異なる文化の多様性を認めることがたいへん重要です。私たちは、「西欧文明」「アジア的価値」「アフリカ文化」などについての単純すぎる一般化によって、ひっきりなしに攻めたてられているからです。これらの、歴史と文明についての根拠のない解釈は、合理性を欠き浅薄なばかりか、私たちの生きる世界に分裂までもたらします。

ある地域でますます支持されつづけているアジア的価値についての権威主義的解釈は、精細な吟味を切り抜けられません。アジア的価値とヨーロッパ的価値を二分法で論じても私たちにはほとんど理解できません。それどころか、自由と民主主義の規準となる原則について混乱をきたすばかりなのであります。

一九九七年　ニューヨーク「カーネギー倫理・国際問題評議会」モーゲンソー記念講演

普遍的価値としての民主主義

一九九七年の夏、私は日本のある有力な新聞社から、二十世紀に起こった最も重要な出来事は何であるかとたずねられました。過去百年間には、重大な事件がたくさん起こりましたから、私は、それを簡単には片づかない問いであると受けとめたのです。

十九世紀をあれほど支配しつづけたヨーロッパの帝国――特に英国およびフランス――は終焉を迎えました。二度の世界大戦が勃発し、ファシズムとナチズムの台頭と没落がありました。二十世紀にはまた、共産主義の興隆、そして旧ソ連陣営の崩壊と中国の急激な変革が目撃されました。西欧の経済支配から、日本、東アジア、東南アジアがより大きな影響力を持つ新しい支配へと移行しました。

たとえ、この地域が現在金融と経済にかかわるいくつかの問題をかかえて試練を味わっている最中であっても、何十年間もかけて――日本の場合は、ほぼ一世紀――世界経済の勢力均衡に生じた変化が、無に帰してしまうことなど決してありえないでしょう。振り返ってみると、過去百年間には重大な出来事がたくさんありました。

二十世紀は数々の発展を成し遂げました。しかし、そのなかで最も際立っているのは、民主主義の台頭であると迷わず言い切ることができるでしょう。この結論はそれ以外の出来事の重要性を否定するものではありません。しかしながら、もしも遠い将来に人々が二十世紀に起こったことを振り返るならば、その人々もまた迷うことなく最高の統治形態である民主主義の出現こそ、二十世紀の最もすばらしい発展であると考えることでしょう。

もちろん、民主主義の概念は、二千年以上も昔の古代ギリシャにその起源があります。古代インドを含めて世界中のいたるところで、民主化のためのささやかな努力が試みられていたのですが、民主主義の概念が明白になって、実践へと移されたのは——それが限られた規模であったとしても——古代ギリシャをおいて他にはありませんでした。

古代ギリシャが没落したあとは、それはずっと権威主義的で均整がとれない支配体制に取って代わられました。古代ギリシャの民主主義は、他に類例のないものでした。その後、私たちが今日知るようなかたちの民主主義が出現するまでには、長い年月がかかっています。

実際に民主主義が政治システムとしてうまく機能するようになるまでには、一二一五年のマグナ・カルタ（大憲章）の調印から、十八世紀のフランス革命やアメリカ独立戦争、十九世紀のヨーロッパや北アメリカにおける市民権の拡大にいたるゆるやかな発展を続けて、最後に勝利をおさめることが可能となったのです。

民主主義が〝ふつうの〟政治的統治の形態とみなされるまでに、その概念が定着したのは、二十世紀になってからのことです。今ではヨーロッパ、アメリカ、アジア、またはアフリカのいかなる国家であろうと、その政治的統治の形態を得る権利や資格を持っているのです。

民主主義の概念を普遍的なものとして理解するようになったのは、かなり最近のことであり、それは純粋に二十世紀の産物といえるでしょう。
マグナ・カルタによってイギリス国王に権力の抑制を強いた反逆者たちは、その要求を完全に特殊なものと考えていました。それとは対照的に、アメリカ独立戦争の勇士たち、およびフランスの革命家たちは、普遍的な制度としての民主主義の必要性への理解に大いに貢献しました。

しかしながら、それらの要求の中心には普遍性がなく、事実上北大西洋をはさんだ両岸地域に限定され、この地域独自の経済的、社会的、政治的な歴史に根差して形成されたものにほかなりません。

十九世紀の民主主義の理論家たちにとって、どの国が民主主義に適しているか、またはどの国が民主主義に適していないかについて論じるのは当然のことでした。二十世紀になってからようやく、このような考え方に対して、その問いの立て方自体が誤っているとされたのです。

ある国が民主主義に適しているか適してないかを決める必要はありません。人々は民主主義のプロセスを通して民主主義に適合してゆかねばならないのです。これは現実的には大規模な変革を意味しています。異なった歴史や文化、根本的に豊かさのレベルの異なる何十億という人々をすべて包み込むためには、私たちは民主主義の可能性の範囲を広げてゆかなければなりません。

「すべての成人のための参政権」が意味するところに、すべての男性だけでなく、すべての女性も含まれなければならないことがついに認められたのは、二十世紀になってからのことです。最近、スイスの大統領でたいへん立派な女性のルート・ドライフスと会う機会がありました。この出会いは、二十五年前にはスイスの女性たちには選挙権すらなかったことを回顧するきっかけを私に与えてくれました。私たちは、寛容の精神のような普遍性の適用は当然であると、二十世紀になってようやく気がついたのです。

民主主義は普遍的なものであるという主張に対して、多くの異論がある事実を否定するつもりはありません。民主主義に対する反対意見はそれぞれ外見も内容もさまざまで、いろいろな方向から述べられています。この論争を取り上げることが、私の小論の重要なテーマになります。民主主義を普遍的な価値と考えている人々の主張と、それをめぐる論争をこれから吟味してゆくつもりです。

しかし、その前に、民主主義が現代の世界において最高の信念になった経緯をはっきりと把握しておかねばなりません。どのような時代や社会環境においても、決定的な力を持つ信念がいくつか存在します。それらの信念は、一般的なルールのようなものとして尊重されなければなりません。

それらはまた、コンピューター・プログラムにおける「デフォルト」の設定にも似ています。

つまり、それらの信念の妥当性が何らかのかたちで完全に取り消されない限り、それらはつねに正しいものと仮定されてしまいます。

世界においては民主主義が普遍的に実践されているとも、民主主義が一般的な世論として完全に認められているとも、まだまだ言い切れません。それにもかかわらず今や、民主的な統治は全体として正しいと認められる地位を獲得しています。しかしながら、民主主義の否定の正当化のために民主主義を打ち砕こうと考えている者たちは、その出番が廻ってくるのをつねに待ちかまえています。

アジアまたはアフリカの民主主義者たちは、いかなる困難な状況にめぐりあおうとも、民主主義支持を訴えてきました。しかし、これもまた、ごく最近生じた歴史的な変化です。

私たちには、あからさまであろうとなかろうと民主主義の必要性を否定する者たちに対して反論せずにはいられない十分な理由があります。そしてまた、民主主義についての一般的な世論が、十九世紀から大きく変化したという事実にもしっかりと注目しなければなりません。

南アフリカ、カンボジア、またはチリのような国々が「民主主義に適しているかどうか」について改めて問い直す必要などまったくないのです。十九世紀の論議においては、このような問いが頻繁になされていました。

私たちは今日、民主主義を適切な政治システムとみなしています。そして、民主主義の普遍的価値が認められる方向にあることは、史上最大の思想革命であり、しかも二十世紀の最も偉大な貢献のひとつであると言えるでしょう。このような文脈で、普遍的価値としての民主主義という問題を検討してゆきましょう。

インドの経験

現在の世界において、民主主義はどれほどうまく機能しているでしょうか。

アメリカ、イギリス、フランスでは、民主主義が果たす役割はもう議論の余地がありませんが、世界の多くの貧しい国々では、民主主義の是非はいまだ論争の的となることがあります。しかし、歴史的な記録を詳細に調べあげなくても、民主主義はたいていの場合はうまく機能すると、私は考えています。

インドはもちろん、この論争の主戦場のひとつでした。

英国の植民地支配からの独立を否定するために、英国は、インド人にはみずからを統治する能力が欠けていると憂慮してみせました。英国から独立した一九四七年には、インドはやや混乱状態にありました。その時点ではまだ、新しいインド政府は未知数の存在であり、（パキスタンやバングラデシュなどの）分割問題は完全に片付いておらず、政治的な勢力編成も明らかではなかったのです。それらがまた、各地に飛び火する内紛や社会的な無秩序と重なり合っていました。インドの民主主義の未来を信じることさえ難しい状況でした。しかし半世紀たった今、私たちインド人は困難をのりこえ、民主主義もかなりうまく機能するようになってきているると思えます。政治的な意見の不一致は、憲法上の手続きによってたいていの場合は解決することができますし、また、選挙および議会のルールに従って政権交代が行われてきました。

さまざまに異質なものが、すっきりと洗練された形では融合されていませんが、インドでは民主主義システムが政治的単位として驚くほどうまく機能し存続しているといえます。しかし、現実には、インドで民主主義が機能不全に陥ったら、国内の統一は保ち得ないのです。

インドはまた、多様な主要言語とあらゆる宗教と諸宗派を共存共栄させるという途方もなく大きな課題に挑戦しながら、今日まで存続してきたのです。

もちろん、宗派政治が宗教的・社会的な差異を利するのは避けがたいところですし、最近の実例を含めて何度もその利己的利用が繰り返され、国内に大きな動揺を引き起こしました。この動揺は宗派間の暴力を呼び、そのような暴力に対する非難が国内のあらゆる階層に巻き起こり、ついには、偏狭な宗派政治に抵抗する民主主義の保障機能がはたらきました。

この民主主義による保障は、インドのように驚くほど多様性に富んでいる国の存続と繁栄にとって、必要不可欠なのです。インドの宗教的多数派であるヒンズー教徒、世界第三番目の宗教人口を持つイスラム教徒、何百万というキリスト教徒と仏教徒だけではなく、世界最大多数のシーク教徒、ゾロアスター教徒、およびジャイナ教徒もまたこの国に共生しているのです。

民主主義と経済発展

非民主主義的なシステムのほうが、経済発展を成し遂げるにはより好ましいとする主張がしばしばなされてきました。こうした考え方は、シンガポールの指導者で元首相のリー・クアン・ユーによって主唱されたことから、「リー仮説」と呼ばれることがあります。

韓国、シンガポール、および改革開放後の中国などにみられる強権国家のほうが、インド、ジャマイカ、およびコスタリカを含む多くの非権威主義的国家と比較して、経済成長率が高かったという点では、リー氏は正しかったと言えましょう。

しかし、「リー仮説」はいい加減な経験主義に基づいています。つまり、入手可能なあらゆるデータに基づいているわけではなく、非常に限られた情報源に依拠しています。この種の包括的なテーマに触れる場合、意図的に選ばれた資料を基礎においているのだとしたら、それは立証されたことにはなりません。

たとえば、アジアにおけるシンガポールや中国のような高い経済成長の例をもってきて、権威主義体制のほうが、経済成長の促進には好ましいことを証明する〝決定的証拠〟にはできないのです。というのは、アフリカのなかでも最高の経済成長を記録してきたボツワナのケースからは、まったく逆の結論を引き出すことができるからです。

実際、ボツワナは世界中で最もすばらしい経済成長の記録の一つを達成しました。そればかりではなく、あのアフリカ大陸に位置するにもかかわらず、何十年にもわたって、民主主義のオアシスであり続けてきた国です。私たちは、こうした主張とその反対論を区別するために、さらに多くの実証的研究を体系的に行う必要があります。

実際には、権威主義的政治体制やそれによる政治的・市民的権利の抑圧が、経済発展にとって有益であるという仮説の正しさを示す明らかな証拠は何一つとしてありません。広範にわたる統計を用いたとしても、その仮説を正しいとする結論には至らないでしょう。ロバート・バローやアダム・プシェヴォルスキーらが行った研究と同じような、国際間の比較に基づいた体系的・実証的研究は、一般に言われているように、政治的権利と経済パフォーマンスは対立するという主張の裏付けは何もないことを明らかにしました。

民主主義に対する抑圧と経済成長の関係は、おそらくそれを取り巻く環境によって、大きく左右されるものと思われます。それゆえに、統計のみを基盤としてこれらの関連性について探求しようと試みても無駄だと思われます。ある統計によると若干否定的な結果があらわれ、また別の統計によると肯定的な結果があらわれるというように、仮説の真偽は明らかにされないままに終わるでしょう。

さまざまな比較研究をすべて検討してみても、民主主義と経済成長のあいだには、いずれにしても明白な関連性はないという別の仮説こそ、最も信憑性が高いように思われます。そして、民主主義と政治的自由はそれ自体が本質的に重要である事実に変わりありません。

また、このことは経済研究の方法における根本的な問題にもかかわってきます。

私たちは、統計的に示されるものだけではなく、経済成長と民主主義的発展にかかわる因果プロセスも吟味して検討しなくてはなりません。

例をあげるならば、東アジアの国々に経済の成功をもたらした諸条件と経済政策については、今ではかなりきちんと理解されています。以前は、この問題についての実証的研究の重点はそれぞれ大きく異なっていました。

しかし、今日では、競争の開放性、国際的な市場、投資と輸出誘因に対する公的準備、識字能力と学校教育の水準の高さ、農地改革の成功、および経済発展の過程に参加できる社会的チャンスの拡大などを、どのように「経済成長促進のための政策」のリストのなかに含めるべきかに関しては、研究者のあいだでは広く意見の一致がみられます。

これらの政策リストをながめてみると、そのなかに民主主義の発展と同調できないものが含まれているとは思えません。また、韓国、シンガポール、中国でみられた著しく権威主義的な要素によって、これらのリストのなかの政策が強力に推進されると考えるわけにもいきません。

そのように考える根拠はまったく存在しないのです。

経済成長の加速化を促すために重要なのは、それに適した経済的環境であって、政治的な荒廃ではないということを示す確固たる証拠ならいくつも存在します。

この問題の検証をしめくくるためには、経済成長という狭い枠組みを超えて、経済的・社会的安全保障の必要性を含む経済発展に関する広範な要求について吟味しなければなりません。

この文脈の一方では政治的権利と市民的権利の関係について、もう一方では経済的破局の防止についてよく考えてみましょう。政治的・市民的権利によって、人々が適切な公共活動が必要なことを注目させ、それを強く要求する機会を得られます。政府に対してかかる圧力によって、困窮した国民への対応はしばしば違ってきます。投票、批判、抗議などのような政治的権利の行使が、政府に影響をおよぼす政治的インセンティヴ（誘因）を変化させるのです。

別のところで、私は、世界の悲惨な飢餓の歴史の上で、比較的自由なメディアが存在した独立民主国家にあって、本格的な飢饉が発生した国は一つもないという注日すべき事実を論じたことがあります。

数年前にエチオピア、ソマリアその他の独裁国家で発生した飢饉、もっと以前には、一九三〇年代ソ連のスターリン政権下の飢饉、一九五八年から六一年にかけて大躍進政策失敗後に起きた中国の飢饉、さらに遡って、植民地支配下のアイルランドやインドにおける飢饉などのいずれをとってみても、例外なくこの法則があてはまります。

多くの点において、中国はインドよりも経済的にはずっと順調に進んできたのですが、独立後のインドには起こらなかった飢饉が中国では不幸にも発生してしまいました。世界史上最悪の飢饉を記録したのです。中国が三年ものあいだ、政府の政策の誤りを修正せずに放っておいた結果、一九五八年から六一年にかけて三千万人近い餓死者を出してしまいました。議会には野党勢力もなく、複数政党制による選挙も行われず、自由なメディアも存在しなかったために、政府の政策の誤りが批判にさらされることがなかったのです。毎年何百万人もの死者がでていたというのに、重大な欠陥のある政策がずっととられ続けたのは、異議申し立てが存在しなかったからに他なりません。北朝鮮とスーダンで今まさに発生している二つの飢饉についても同じことがあてはまります。

飢饉は、自然災害のようなものとしばしば結びつけられてしまいます。たとえば、大躍進期の中国に発生した大洪水、エチオピアの旱魃、北朝鮮の凶作といった、自然災害のような眼に見える現象にだけ注目して、飢饉の単純な説明としてしまう論評がよくあります。

しかし実際には、そのような自然災害やもっとおそろしい災難に見舞われた多くの国々ですら、飢饉は起こっていないのです。なぜならば、それらの国々には、飢えの苦痛を軽減するために迅速に行動する政府が存在しているからです。

飢饉の最初の犠牲者は最も貧しい人々ですから、たとえば、雇用計画などを立案して、飢饉の犠牲になる潜在的可能性の高い人々のために、その食糧購買力を高める新たな所得を創出すればよいのです。そうすれば、餓死は防止できます。

一九七三年のインド、一九八〇年代初頭のジンバブエやボツワナといった、世界で最も貧しい民主主義国ですら、実際に深刻な旱魃や洪水やその他の自然災害に見舞われた時には、食糧供給を行って飢饉の発生を被らずにすんだのです。

飢饉は、それを防止しようという真剣な努力がありさえすれば、簡単に阻止できるものなのです。

民主主義国家では選挙が行われ、野党や新聞からの批判にもさらされるので、政府はどうしてもそのような努力をせざるをえません。イギリス支配下にあったインドにおいて、独立直前まで飢饉が絶えることがなかったのも、当然でした。最後の飢饉が起こったのは、独立の四年前の一九四三年でしたが、当時子供であった私はそれを目撃しました。

独立後のインドに、自由なメディアがあらわれて、複数政党制による民主主義体制が確立されると、飢饉は突然止んで二度と発生しなくなりました。

私は、特にジャン・ドゥレーズとの共同研究において、これらの問題について議論しました。したがって、ここではもうこれ以上この問題に立ち入って詳しく論じるのは控えるつもりです。

実際には、飢饉の問題は民主主義がその本領を発揮するほんの一例にすぎませんが、多くの点で最も分析しやすいケースだと言えます。

政治的・市民的権利は経済的・社会的破局の防止に、積極的な役割を果たすことができます。物事が順調に運び、すべてがいつものように滞りない状態にある場合には、民主主義が手段として果たす役割が切望されることはあまりないかもしれません。しかし、何らかの理由で、状況が急変するような場合には、民主的な統治が生み出す政治的インセンティヴが大きな実践的価値を獲得するのです。

ここには、重要な教訓がひそんでいると考えます。

経済テクノクラートの多くは、市場システムが生み出す経済的インセンティヴの利用を奨励しながら、民主主義制度によって保障される政治的インセンティヴのほうは無視してしまいます。これでは、非常に不安定な基本原則を選択してしまうことになりかねません。

国が未曾有の危機に直面しておらず、すべてがとても円滑に運んでいる時には、民主主義による保障の重要性はさほど意識されないかもしれません。しかし、一見健全そうに見える国家においても、経済等の環境変化が生じたり、政府の政策の誤りが修正されないことによって、その安定状態がいつ崩壊するかわからない危険がひそんでいるのです。

東アジアや東南アジアの最近の問題から特に明らかになりましたが、そのような事態は、それらの国々における非民主的統治の報いであるということです。

これは二つの点で顕著にあらわれました。

第一には、韓国、タイ、インドネシアを含む地域の金融危機の深刻化は、ビジネスにおける透明性の欠如、特に金融制度のあり方を見直すための公のチェック機能の欠如と関係しています。民主主義的な公共の場における議論が存在しなかったことが、このような事態に陥った最大の原因です。実際に、そのような場があったならば、政府を動かすための政治的インセンティヴをつくりだすことができたはずです。

第二点ですが、金融危機が全体的な経済不況へと拡大してしまうと、インドネシアのような国では民主主義の保護機能――これは、飢饉を防ぐための保護機能と何ら違わないものです――が、完全に欠如しているために、事態は収拾困難に陥ってしまったのです。経済危機のために新たに財産を奪われた人々は、発言の機会を必要としましたが、それは一度もなかったのです。

それまで何十年間にもわたって年率五%もしくは一〇%の経済成長を経験したあとに、国民総生産が一年のあいだに一〇%落ち込んでも、多くの場合、さほど深刻な事態にはならないはずです。しかし、重荷を社会全体で広く分かち合うかわりに、無職の人たちやリストラで解雇された労働者たちなど、それを負担する力が最もない人々に、すべてがのしかかるのならば、そうした経済的衰退は、何百万もの人々の生活を破壊して悲惨な困窮状態をつくりだすことになります。

インドネシアの弱者たちにとっては、すべてが上昇気流に乗っている時には、民主主義がなくても全然構わなかったかもしれません。しかし、経済危機の分担の不平等が拡大するにつれて明らかになった民主主義の不在は、弱者たちの発言力をさらに弱めて無力化してしまったのでした。このように、保護する役割としての民主主義は、それが最も必要とされる時、絶対に欠如してはならないものなのです。

民主主義の機能

私は、これまで、民主主義に批判的な論者、特に経済とのかかわりから民主主義批判を行う論者たちの主張に的を絞って、この小論のテーマとしてきました。批判的な論者についてはふたたび再びふれるつもりですが、その際は特に文化にかかわる論争を取り上げてみたいと思います。

しかし、ここでは、民主主義とは果たして何なのか、そして、民主主義は普遍的価値であるという主張はどのような根拠に基づいているかについて、民主主義を肯定的に検討しながら、さらに探究したいと思います。

民主主義とは正確にはいったい何なのでしょうか。

私たちは、多数決原理だけが民主主義を代表していると考えるべきではありません。民主主義がしっかり機能するためには、多くのさまざまな要求が満たされなくてはなりません。

その中には、もちろん投票や選挙結果の尊重などが含まれますが、自由を守ること、法的権利や法的資格が尊重されること、自由な議論が交わされること、公正な意見と情報が検閲なしに公表されることなども保障されていなくてはなりません。選挙においては、反対陣営がそれぞれの主張を述べる十分な機会がなく、有権者が情報を得る自由を享受して対立候補たちの政見についてよく考えることができなければ、それはまさしく欠陥選挙といわなければなりません。民主主義は、要求をつきつけてくるところが多いシステムで、多数決原理のような決まりきった条件だけを採りいれているわけではないのです。

このような観点から考えると、民主主義の長所と、普遍的価値としての民主主義の主張は、束縛を受けない活動をともなってはじめて、議論の余地のないすばらしい価値になるということができます。実際に、市民生活を豊かにする民主主義の特徴をそれぞれ違う側面から三つあげてみましょう。

第一に、政治的自由は人間的自由一般の一部であり、また市民的・政治的権利の行使は、社会的存在としての個人が満足できる生活をおくるのに欠かせない部分です。政治的・社会的参加には、人間的生活の福利をもとめるための本質的な価値があります。生活共同体における政治的生活への参加を妨げられることは権利に対する重大な剝奪になります。

第二には、「民主主義と経済発展とのあいだの張りつめた関係」という主張に反論するなかで私がすでに述べたように、民主主義には重要な手段的価値があります。人々が、経済的欲求の主張も含めて政治の配慮をもとめる場合、要求を表明し、またそれを支持する発言の機会を拡大する手段としての価値が、民主主義にはあるのです。

三番目は——これはさらに検討すべき要点ですが——民主主義の実践によって、人々がお互い同士から学ぶ機会を得るとともに、社会的な価値と優先順位を形作るために役立ちます。〝経済的欲求〟を理解することを含めた〝欲求〟の概念についてさえも、公共の場における議論と情報・意見・分析の交換を必要とします。こういった意味で、民主主義には、市民生活のための固有の価値と政治決定における手段としての重要性にくわえて、構成的重要性があります。普遍的価値としての民主主義を主張するには、こういった多様な意見に注目しなければなりません。

〝経済的欲求〟を含む〝欲求〟とは何かを概念化するためには、あるいはそれを理解することにおいてさえ、政治的・市民的権利の行使が必要でしょう。

経済的欲求を、その内容と欲求の度合いまで正しく理解するには、意見交換が必要かも知れません。政治的・市民的権利は情報にもとづき熟慮された選択を引き出す過程で重要になります。それが開かれた議論・論争・批判・反対意見を保障する権利にかかわる場合には、とりわけそうなのです。

価値と優先順位を形作るには、こういった過程がきわめて重大になりますし、またこの過程を経なければ、私たちは、ふつう、公共の場における議論を自由に与えられたものとして——つまり、開かれた意見交換と論争が許されているかどうかに関係なくということですが——選択することはできません。

現実には、社会的および政治的な問題の善悪を判断する際に、開かれた対話が持つ可能性とそれがもたらす影響は、しばしば過小評価されています。しかし、たとえば、公共の場における議論は、多くの発展途上国を特徴づける高い出生率を低下させるために重要な役割を演じています。これについては、インドの識字率が高い州では、出生率の高さが共同体全体に、とりわけ若い女性たちの生活に悪影響を及ぼすことについて開かれた議論が行われた結果、出生率が急激に低下する効果が生じた事実があります。

インドのケララ州またはタミルナドゥ州では、現代における幸福な家族は小家族であるという新しい家族観があらわれると、それについての議論や論争が広まりました。現在のケララ州の出生率は、一・七——英国とフランスと同じで、中国の一・九を下回ります——で、これは国家の強制によるのではなく、新しい価値観の出現によって実現されたものでした。

この新しい価値観が形成される際に、政治的かつ社会的な対話のプロセスが中心的役割を演じました。ケララ州の高い識字率が――それは中国のどの地域の識字率よりも高いランクに属しています――そのような政治的・社会的対話を可能にすることに大いに貢献したのです。

苦難と権利の剝奪にはさまざまな種類がありますが、なかには何よりも社会的救済に頼るしかないものがあります。人間の困窮状態の全体像を把握したからといって、私たちの〝欲求〟が何であるかをすべて決定する根拠にはなりえないのです。

たとえば、尊重するだけの十分な理由があってそれが実現可能ならば〝欲求〟とみなしてもよいことはいっぱいあるでしょう。インドの古典文学『ウパニシャッド』に登場するマイトレーイーという名の驚くほど探究心の旺盛な女性が、夫のヤージュニャヴァルキヤとの三千年も昔の有名な夫婦の会話で、「永遠に生きたい」と望んだように、私たちもまた、ただ単に欲するだけならば、永遠の命を望むことさえできるでしょう。しかしながら、永遠の命を〝欲求〟とみなすことはできません。なぜならば、永遠に生きることは、人間にとって現実に実現不可能だからです。

私たちの欲求の概念は、権利の剝奪が防止可能なものであるという考え方と、そのために何がなされなければならないかについての理解とに関連づけられます。欲求の実現可能性について、特に、その社会的な実現可能性について理解し確信するためには、公共の場における議論が重要な役割を果たします。要するに、議論や表現の自由などの政治的権利の保障によって、経済的欲求に対する社会的対応を引き出せるばかりでなく、それは経済的欲求自体を概念化する際にも重要なのです。

価値の普遍性

もし、これまでの分析が正しいならば、民主主義には普遍的な価値があるという主張は単にそれだけにはとどまらないはずです。民主主義には、さらにたくさんのすぐれた長所が存在しています。そのなかには、次の三つも含まれています。

（1）人間生活における自由と人々の政治参加にとって、民主主義が持つ本質的重要性。（2）政府にその国家義務と説明責任を認識させるための政治的インセンティヴを高める民主主義の手段的重要性。そして、（3）価値観の形成、または、欲求、権利、および義務などの基本的概念について理解を生み出す民主主義の構成的役割。

これら三つの観点によって、この小論のもともとの動機となっている問題、すなわち民主主義を普遍的な価値とみなすべきだという主張の論拠について論じます。

民主主義は普遍的価値であるという主張について論じられる際に、すべての人々が民主主義の決定的な重要性について合意しているわけではないと反論されることがしばしばあります。

特に、民主主義とは無関係のものへの愛着や忠誠心が、民主主義的価値と相争う場合に、このような反論がなされます。まさにその通りです。ここには合意はありません。ある論者たちのあいだでは、この全員の合意の欠如こそが、民主主義が普遍的な価値ではない十分な証拠だと考えられているのです。

その点をはっきりさせるために、私たちは方法論にかかわる問いから始めましょう。普遍的な価値とは何であるのか？　ある価値が普遍的であるとみなされるためには、すべての人々の合意が必要なのか？　という問いです。

もしすべての人々の合意が必要とされるならば、普遍的な価値というカテゴリーは中身が空も同然です。なぜならば、これまでに誰も反対したことのない価値など私は知らないからです。あるものが普遍的な価値を持つとみなされるために、すべての人々による普遍的な合意は必要ではないと、私は論じたいと思います。あるものに普遍的な価値があるという主張は、世界中の誰もがその価値を認める理由があるにちがいないということなのです。

同じように、マハトマ・ガンジーが非暴力の普遍的な価値について論じた時にも、世界中の人々がこの価値に従って、すでに行動しているといっていたのではありませんでした。そうではなくてむしろ、非暴力にはそれを普遍的な価値であるとみなすのにふさわしい理由があると、ガンジーは主張したのでした。

詩人ラビンドラナート・タゴールが「心の自由」を普遍的な価値として論じたことについても同様にあてはまります。タゴールは、この主張がすべての人によってすでに受け入れられているというようにではなく、すべての人に受け入れられるべき十分な理由があると言ったのでした。それを探究し提起して広めるために全力を尽したからという理由です。

このように理解するならば、あるものに普遍的価値があるという主張には、まだ十分に考えていない主張について、人々はその価値を理解するかどうかなど、事実に基づかない分析が含まれていることがあります。民主主義にかぎらず普遍的価値の主張には、このような事実に基づかない暗黙の仮定がついているのです。

これにかかわることですが、民主主義に対する態度が最も大きく変化したのは二十世紀であると論じることもまた、実は暗黙の仮定を時として行っているといえます。

たとえば、まだ民主化されておらず、多くの人々が民主主義を現実に実行することなど考えたことがない国の民主化についても、そこに住む人々もまた民主主義が生活のなかで現実化すれば、きっとすぐにそれを肯定するようになるだろうという暗黙の仮定があります。このようなことは十九世紀にはふつう行われませんでした。このような仮定が当たり前となる急激な変化は二十世紀の間に起こったことなのです。

またこのような変化は、二十世紀の歴史の観察に基づいていることにも注目しなければなりません。民主主義が世界中に広まると、その支持者は増え続けて、減少することはありませんでした。

システムとしての民主主義は、ヨーロッパ大陸とアメリカ大陸に最初に誕生して、それからのちは、はるか遠い沿岸のいくつかに到着しました。そして、それらの土地においても、民主主義は人々の自発的な参加と承認によって迎え入れられたのでした。さらに、既存の民主主義体制が倒された時には、たとえしばしば残虐に抑圧されようとも、それに対する抗議行動は広がってゆきました。多くの人々は、民主主義を取り戻す闘争のために、生命を危険にさらすことすら厭わなかったのです。

民主主義は普遍的な価値として高い地位を獲得しているという主張に対する反論のなかには、すべての人々による合意が存在しないというのではなく、地域的な激しい格差の存在を論拠とする反論もあります。

これは、いくつかの貧しい国々について言われていることですが、この主張もまた、たいへん疑わしいものです。これによると、貧しい人々の関心は、民主主義ではなく、生活の糧に向かわざるをえないというのです。このよく耳にする反論は、二つの異なる規準において正しくありません。

第一番目は、私たちがこれまで論じてきたように、民主主義の保護的役割は、貧しい人々にとって特に重要です。これが特にあてはまるのは、困窮の危機に直面していて飢饉の犠牲者になる可能性が高い人々です。

また、金融危機のために経済の支えを失ってしまった人々にも、これがあてはまります。経済的欲求を求める人々は政治的な発言力も必要としています。民主主義は、全体的な繁栄が訪れるまで我慢して待たなければならないような高級品では決してないのです。

第二に、選択肢として与えられても貧しい人々は民主主義を拒絶するという主張には、ほとんど根拠がありません。一九七〇年代半ばのインドで起こったことは、この主張と深くかかわりますので、記憶にとどめておくべきでしょう。

当時のインド政府は、いかがわしい「非常事態」宣言を行ってさまざまな市民的権利と政治的権利を抑圧するために、同じような主張によって、それらを正当化しようと試みました。総選挙が実施され、有権者たちの意見はまさにこの政府の主張をめぐって、二つに分かれて対立しました。つまり、このインドの命運を賭けた総選挙では、政府のこの重大な主張を認めるか否かが最も大きな争点となったのです。

その選挙において、インドの有権者たちは、基本的な政治的および市民的権利の抑圧を断固として拒否したのでした（インディラ・ガンジー首相率いる与党はこの総選挙で大敗）。世界で最も貧しい国の一つであるインドの選挙民たちは、自分たちの経済的権利の剝奪に対して不満をあらわすのと同じくらい、基本的な自由と権利の否定に対して激しく抵抗することが明らかになりました。

貧しい人々は市民的権利や政治的権利に無関心であるという主張についても、かなり検証されつづけてきました。しかし、これまで差し出されてきた証拠はすべて、この主張が偽りであることを証明しています。韓国、タイ、バングラデシュ、パキスタン、ビルマ（ミャンマー）、インドネシアなどアジアのいたるところで見られる民主主義的自由のための闘争についても同じことがいえます。また、アフリカではいたるところで政治的な自由が否定されています。しかし、その過酷な状況にもかかわらず、民主主義の抑圧に対する抗議運動が存在する事実も、この主張が偽りであることを同じく明らかにしているのです。

文化的差異についての論争

民主主義は普遍的価値ではないとする反論には、経済的環境ばかりでなく文化的差異に関連して、いわゆる根本的な地域格差を擁護する議論もあります。

おそらく、そのなかでも最も知られている主張は、「アジア的価値」と呼ばれるものにかかわっています。それによれば、アジア人は伝統的に、政治的自由にではなく、規律に価値を置いてきた民族である、したがって、アジアの国々が、民主主義に対する姿勢がきわめて懐疑的であるのは避けがたいことなのだそうです。

私は以前、「カーネギー倫理・国際問題評議会」におけるモーゲンソー記念講演で、このテーマについて詳しく論じたことがあります。

このような主張をする識者たちの現実的な根拠となりうるものを、アジア文化の歴史のなかに見つけるのは非常に難しいように、私には思われます。しかし、この主張が誤っていることを示す根拠は、特に、インド、中東、イラン、およびその他のアジア地域の伝統のなかに見つけることは難しくありません。例をあげるとするならば、紀元前三世紀に古代インドのアショーカ王によって建てられた石柱の碑文のなかには、文化的多元主義に対する寛容の精神や国家の義務としてマイノリティの保護を唱えている最古の記録の一つが刻まれています。

もちろん、アジアは世界の総人口の六〇％を占めているような広大な地域です。そのような多くのさまざまな民族の総合体について一般論を述べるのは容易なことではありません。「アジア的価値」の主唱者には、この論旨が他のどこよりも当てはまる地域は東アジアとみなす傾向がしばしばありました。また、西欧とアジアのあいだの対比を一般化しようとする試みは、タイよりも東側の地域に集中して行われることが多いのです。それどころか、アジアの残りの地域も〝似たり寄ったり〟であるというさらに大胆な主張もあります。

たとえば、リー・クアン・ユーは、「社会と国家という概念に関しては、西洋と東アジアとの間には根本的な相違がある」と述べて、「私が東アジアという時には、それは、朝鮮半島、日本、中国、ベトナムを意味して、東南アジアとは区別する。インドの文化もまたそれらの地域と似たような価値を重視しているが、東南アジアは中国的なものとインド的なものの混合である」と説明しています。

しかし、実際には、東アジアそのものもきわめて多様であり、日本、中国、韓国、その他の地域のあいだだけではなく、それぞれの国の内部にも、たくさんの差異が見出されます。

孔子は、アジア的価値の解釈のために必ずといっていいほど引用されるスタンダードな思想家となりましたが、日本、中国、および韓国などの国々に思想的影響を与えた唯一の人物であると断じるのは誤りです。たとえば、たいへん広大な地域に伝播《でんぱ》して、非常に古い歴史を持つ仏教の伝統も存在しますし、これは二千年以上の時を超えて、今もなお強い影響力を保ちつづけています。そして、キリスト教など、その他の宗教もまたアジアに存在しています。アジアの文化のなかには、宗教的自由を制限するような排他的信仰は存在しないのです。

さらに言うと、孔子は国家への見境のない忠誠を奨励したわけではありません。子路《しろ》が「主君にはどのようにお仕えすべきでしょうか」とたずねると、孔子はこう答えました。「主君を欺かず、真実を告げて諫めよ」

おそらく、権威主義的な政治体制の検閲官たちならば、孔子のこの答えに狼狽することでしょう。しかし、「国家に道理のある時には、大胆に語って、大胆に行動せよ。国家が道理を失った時には、大胆に行動し、静かに語れ」という言葉にもあるように、孔子は、効果的な諫言や臨機応変の才を嫌悪していたわけではありませんでした。そうではなく、必要とあらば、智謀をめぐらせて、悪政に対する批判に挑むべきであると勧めているのです。

国家への忠誠と家族への献身のふたつは、アジア的価値の二本の支柱とされています。しかし、アジア的価値そのものが、実は想像の産物にしかすぎないのです。孔子は、国家への忠誠と家族への献身が、矛盾し得ることをはっきりと示しています。「アジア的価値」の権威を唱える者たちの多くは、国家の役割が家族の役割の延長線上にあるかのように考えています。ところが、孔子も述べたように、両者の間には緊張関係が存在するのです。

楚の国のある長官が孔子に言いました。「私どもの村には曲がったことが大嫌いな正直者がいます。自分の父親が羊を盗んだ時、息子がそれを知らせました」。これに対して、孔子はこう答えました。「私どもの村の正直者はそれとは異なります。父は息子をかばい、息子は父をかばいます。正直とは、そのようなふるまいのなかにあるのです」

アジア的価値は民主主義や政治的権利に対立するというかたくなな解釈は、批判的な検証にはまったく堪えられないものです。私には、この信念の学問的なあやふやさを繰り返し批判しても意味がないように思われます。なぜならば、これらの主張をした人々は、学者ではなく、政治指導者、または、独裁的な政府の公式または非公式な代弁者であるからです。私たち学者はよく政治の現実について疎いと言われますが、それとは逆に、現実の政治には詳しいはずの政治家が学問の現実について疎い様子がわかって、面白い気がします。

もちろん、アジアの伝統文化の中にも権威主義的な内容の書物が容易に見つかります。しかし、それは西洋の古典についてもあてはまることです。古代ギリシャ哲学のプラトンか、中世神学のアクィナスあたりの著作でも思い起こせば、規律を重んじる傾向がアジアだけに特有なものではないことがすぐにわかるでしょう。アジアに規律や秩序について書かれた書物があることを理由に、民主主義は普遍的価値であるという主張の正しさを否定してしまうのは、プラトンやアクィナスの著作があることを理由に——中世の異端者弾圧を支持した文書については言うまでもないことですが——民主主義は今日のヨーロッパあるいはアメリカにふさわしい政治形態ではないと主張するのとまったく同じことです。

特に、現在の中東における政治的紛争を体験したために、イスラム文明は根本的に非寛容な文明で、個人の自由に対しても敵対的であるかのように描かれることがよくあります。しかし、どの伝統の内部においても多様性と変化が存在するという事実は、イスラム教圏に最もよく当てはまるのではないでしょうか。

インドでは、アクバル大帝はじめ——悪名高きアウランゼーブ皇帝を除く——イスラム教徒のムガール帝国皇帝たちのほとんどが、政治的寛容の精神と宗教的寛容の精神を理論と実践において示した模範例なのです。トルコの皇帝たちはしばしば同時代のヨーロッパの皇帝たちよりもずっと寛容でした。このような模範例は、カイロやバグダッドにおいても数多く見つけることができます。十二世紀の偉大なユダヤ人学者マイモニデス(13)ですら、ユダヤ人迫害のために、彼の生地であった非寛容なヨーロッパから、寛容な都市文化の花開く安らぎの地カイロへと、イスラム君主サラディーン(14)の庇護を求めて亡命しなければならなかったのです。

多様性について言えば、それは世界中のほとんどの文化にあてはまる特色であり、西欧文明もまた例外ではありません。現代の西欧世界が獲得した民主主義は、啓蒙運動や産業革命以降の時代、特に、十九世紀のあいだに形成された世論の合意によるところが大きいのです。それを千年以上にわたって西欧社会が民主主義のために努力しつづけてきたと解釈し、またそれと非西欧社会の権威主義的伝統をそれぞれ単純化して対比させるのは、大きな誤りです。この過度の簡略化を行う傾向は、アジアの政府の代弁者が書いたもののなかだけではなく、優秀な西欧の学者の手になるいくつかの学術理論のなかにも見出されます。

優秀な学者によって論じられている理論のなかから、サミュエル・ハンチントンの『文明の衝突』のテーゼをここに引用しましょう。この理論は他の理論と比べて多くの点で異なり、しかも大変啓発的です。しかし、『文明の衝突』で論じられているひとつひとつの文化内部に存在する異質性についての認識は十分ではありません。ハンチントンの研究から導き出されるあからさまな結論は、「個人主義の感覚および権利と自由の伝統」は西欧で見出されることができ、「文明化社会特有の」ものというものです。ハンチントンはまた、「西欧を他の文明と区別する主な特徴は西欧の近代化に先行している」とも論じています。彼の見解に従うならば、「西欧は、それが近代化される以前にもう西欧であった」のだそうです。私が先に論じたように、このような論旨は、歴史的検証には堪えられません。

アジアの政府の代弁者が、いわゆる「アジア的価値」と「西欧的価値」を対比させようという試みもあれば、西欧の知識人が一方の側から同じような対比を試みているかのように見えます。アジアと西欧のあいだでこのような押したり引いたりが繰り広げられているのですが、両者が民主主義は普遍的な価値であるという結論にうまく到達することはありえないでしょう。

議論の決着

私は、民主主義が普遍的な価値であるという主張にかかわる多くの論点を取り扱おうと試みました。

民主主義の価値は、人間的生活におけるその本質的な重要性、政治的誘因の創造におけるその手段的役割、欲求・権利・義務の要求の度合いと可能性の理解を含む、価値の形成におけるその構成的機能にあります。これらの長所の特徴は、地域性がないことです。規律あるいは秩序を強調してもいないのです。価値の異質性はおそらくすべての主要な文化をもっとも特徴づけているように思えます。文化的論争は、今日の私たちに可能な選択を排除してもいなければ、実際にきつく制限することもありません。

こういった選択は、現代世界における民主主義の問題が依存している、民主主義の機能的役割に注目して、今ここでなされるべきです。この主張には、本当に強力なものがあり、また特定の地域に限定されないと私は論じてきました。民主主義は普遍的価値であるとする主張の妥当性は、究極的にはその力強さにあります。それがこの議論の決着点です。それは、私たちがさまざまな過去から負わされた、想像上の文化的禁忌あるいは見せかけの文明的素因によって、決着をつけられるものではありません。

一九九九年　ニューデリー「民主主義を構築する国際会議」基調講演

なぜ人間の安全保障なのか

人間の安全保障とは何でしょうか。なぜ人間のための安全保障は重要なのでしょうか。「人間の安全保障国際シンポジウム」を開催するにあたって、これらは当然問われるべきです。

ほぼ二年前に開かれた第一回目の「アジアの明日を創る知的対話」の基調演説のなかで、故小渕恵三首相が述べられた洞察力溢れるコメントから始めたいと思います。故首相は次のように述べられました。

「人間は生存を脅かされたり、尊厳を冒されることなく創造的な生活を営むべき存在であると信じています」

また、まさにこの文脈において、この〝人間の安全保障〟を「人間の生存、生活、尊厳を脅かすあらゆる種類の脅威を包括的に捉え、これらに対する取り組みを強化するという考え方」として把握しながら、この概念を引用しました。故首相による洞察とその深遠な意味についての議論から始めることが、「人間の安全保障国際シンポジウム」の開会にふさわしいのではないかと私には思われます。

この講演において、故首相が訴えて下さった〝人間の安全保障〟という言葉の意味を再吟味して、それを広く解釈し活用してゆきたいと思います。

この取り組みにそなわるいくつかの特定の見地について詳しく論じるつもりですが、それらの見地は、故首相が強調した「人間の生存、生活、尊厳」という三つの問題に直接由来するものです。

これらの問題はさまざまに異なるものですが、それらがずっと脅威にさらされてきたために、人類はその歴史を通じて苦悩を味わい続けてきました。しかしながら、かなり不思議に思われるかもしれません。今こそこれらの問題に立ち向かうべき時であると考えるのはなぜか、と。私たちは、「なぜこれらの問題に立ち向かわねばならないのか」「なぜ今こそ立ち向かわねばならないのか」という二つの別な問いについても答えを探してゆかねばなりません。

生存のための安全保障——健康、平和、寛容

今こそ協力して努力しなければならない明白な理由は、二つ存在します。消極的な理由と積極的な理由です。

消極的な理由としてあげられるのは、これらの「人間の生存、生活、尊厳」のうちのそれぞれが、近年において新たに広がりつつある危険や災難のために妨げられているという事実です。そのために、今すぐに特別なアンガージュマン（意思的・実践的政治参加）が必要とされているのです。

例をあげるならば、AIDS《エイズ》（後天性免疫不全症候群）、新種のマラリア熱、多剤耐性結核など、特殊な病気の発生と蔓延を含む公衆衛生において生じた問題です。それによって、世界

の多くの地域において、生存の見通しが悪化してきています。同じように、内戦状態がいつまでも終わらずに時として激化したり、虐殺が起きたりすることもあります。市民の生存を脅かす危険もますます増大します。なぜならば、市民が軍隊との衝突で捕らえられたり、または、独裁的な体制が生み出す大量虐殺や迫害によって命をうばわれることがあるからです。この会議に出席していらっしゃる国連難民高等弁務官の緒方貞子氏は、このような悲惨な出来事に結びついた大量の難民問題に対処してこなければなりませんでした。

しかしながら、なぜ今こそ私たち皆が力を合わせて努力しなければならないのかという問いに対して、積極的な理由もあげられます。現代世界においては、人間としての生存を脅かす暴力に対して、よりよく連繫して抵抗するために、私たちの努力と理解を結集できる大きな可能性が開けているからです。

私たちは、脅威や危険に満ちた世界で生きているだけではありません。私たちが現在生きている世界というのは、危機的状況の本質が以前にも増して的確に把握されるようになった世界でもあるのです。そうした世界においてはまた、科学が確実に進歩したおかげで、これらの脅威に立ち向かうことのできる経済的・社会的資産が拡大しています。現代世界においては、私たちが余儀なく直面させられる困難が増大しただけではなく、それらに対処して解決するチャンスも増したのです。

日常生活と生活の質

故小渕首相の洞察力あふれる言葉によって表現された人間の「生活」と「尊厳」という他の二つのことがらについても、同様の指摘が可能です。

たとえば、東アジアや東南アジアが何十年にもわたって急速な経済的進歩を成し遂げ、また、この地域における人々の日常生活が多様なかたちで改善されたにもかかわらず、何億という人々の生活に悪影響を及ぼす景気後退がもたらした危険は依然として消えていません。それはすでに、人々を有頂天にさせ頓挫することなどありえないと思われていた高い成長率のかげに隠されていたのです。アジア経済危機が勃発すると、この危険が顕在化して、悲惨な境遇をもたらしたのでした。それればかりではなく、生活の安泰を信じ込んでいた人々の日常生活は、危機によって破壊されてしまいました。

しかしながら、別の角度から眺めるならば、このアジアにおける危機の経験そのものから、世界は実に多くのことを教わりました。すべての人々が力を合わせて、日常生活における安全保障を確実なものにするために、危機発生後にその教訓を活かす可能性が開かれたのです。

〝公正を伴う成長〟という古いスローガンだけではなく、〝人間の安全保障を伴う景気後退〟という目標のために、私たちは新しい社会的参加を必要としています。

市場経済において、景気後退がしばしば起こるのは当たり前のことです。それを避けることなど、おそらくできません。状況がどのように悪化しても、人間の安全保障を実現し、日常生活全体の安全を守るためには、そのような将来のための社会的・経済的な備えが必要なのです。

そのためには、いわゆる経済セーフティネットの準備や、基礎教育、医療による保障が欠かせません。弱者や被害者になりやすい人々の政治参加もまた特別重要な意味を持っています。なぜならば、それらの人々が発言力を持つことは真に大切なことだからです。

それとともに、定期的な選挙が行われて野党勢力に対しても寛容な民主主義が確立されて十分な機能を果たしているだけではなく、国民に開かれた議論を愛する文化を育むことも重要です。民主主義的な政治参加によって人間の尊厳が守られることで、人間の安全保障を直接強化することが可能となるのです。

以上のことがらはすべて、景気後退に左右されずに日常生活を存続させ、また、飢饉の防止を通じて生存を保障することにも役立ちうるのです。

日常生活以外でも脅威に立ち向かう必要が生じることがあります。それは景気後退の場合だけではありません。経済制度や学校・病院などの社会制度の確立が長期にわたってないがしろにされ続けてきたおかげで、犠牲者たちの権利が過度に剝奪されている場合でも、積極的行動がとられなければなりません。それには、長期間の制度的な空白をつくりだした統治の失敗をいっそう明確にしなくてはなりません。絶対に必要な制度を確立するためには、重大な決断を下すことが重要となります。

現代世界においては、政治や公共の場における議論がグローバル化しつつあり、日常生活に対する脅威は一国一地域だけではなく、国際的な主導力にも委ねられる問題になってきています。

情報とエコロジー

情報技術とコミュニケーション革命が果たすべき役割についても、同じ文脈において検討されなければなりません。なぜならば、それらは、世界中の人々の生活の質を改善する力を生み出す、大きな源泉のひとつだからです。

しかし、この新しい情報技術へのアクセスは現時点においては、まだ、かなり限られたままです。その原因は、経済的な欠乏だけではなく、不十分な教育にも関連しています。人間生活を根底から変革する可能性を持っているこれら新しいチャンスへのアクセスを改善し、増大させるためには、地域にとどまらず、グローバルな努力の試みが重要なのです。

さて、ここで、新しい情報技術がもたらすメリットから、エコロジーの無視によって生じる危険がもたらすデメリットに視線を移してみましょう。そこではまた、別の危機的状況が目にとまります。

グローバルな環境保護ついては、大気汚染、水質汚染、温暖化現象、そして、現在や未来における安全で幸福な生活を支えてくれるものについては特別な注意を払うことが必要とされています。

富める国々は消費スケールが巨大なので、この点に関しては特に、他の貧しい国々とは異なる立場にあります。しかし、経済的に発展途上にある国々もまた、環境問題に重大な影響を及ぼす可能性を持っています。それらの国々における経済発展のプロセスが進行するにつれてその影響は深刻になってゆくことでしょう。

また、設計や技術形態をあとから環境にやさしく変更することは、すでにそれが広く使われている場合には、大変なコストがかかってしまいます。今の時点で未来のことを考えておかなくてはなりません。また、地域ごとの環境保護もその特定地域における生活の質を守るためには重要ですし、地域をないがしろにするようなことがあれば、必ず大きな被害が発生する可能性があります。

生態系や環境にかかわる問題に注意を払わなければならないということは――富める国にも貧しい国にも――すべての国々にあてはまります。エコロジーに対する無責任は、少なくともある程度は、無知から生じる問題ですから――独りよがりな頑固な無関心ではなく、無知に由来することもありうるのです――、情報にアクセスしないとエコロジーに対する責任をとれない可能性もあるのです。

尊厳、平等、連帯

第三の問題である人間の尊厳は、数千年にわたって数えきれないほどたくさんの人々の生活が貶められ辱められてきたうえに今日、新しい脅威に直面しています。

例をあげるならば、男女平等の問題です。

女性運動が発展して、さまざまな社会で長いあいだ続いてきた不平等に立ち向かい、男女平等の実現にこぎつけた時に、不平等の伝統を支持する人々の側から抵抗がありました。実際には、他人を犠牲にして少数者に有利な不平等の特権の恩恵にあずかっていた人々なのです。

その結果として、不平等問題の解消はしばしば停滞することもあれば、場合によっては後退が生じることとすらあります。後退現象のなかでも最も極端なケースは、女子のための学校の閉鎖、不運にみまわれた無力な女性たちに対するレイプその他の残虐行為です。

人間の尊厳に対するその他のさまざまな冒瀆行為についてもまた、――それには、階級、カースト、民族、社会的チャンス、経済資源の問題が絡んでいるのですが――今まで以上にずっと深遠な認識が必要とされます。

発展とは、一人あたりのＧＮＰ（国民総生産）だけではなく、人間の自由と尊厳がもっと拡大されることにもかかわっているのです。人間の尊厳に対する冒瀆行為がいつまでも終わらないのは、人がするべきことをしないで、してはいけないことをするからです。これらの問題に対処するためには、包括的な方法で取り組むことが必要です。

グローバリゼーションとグローバルなコミットメント

幸運なことに、グローバルな連帯によって不平等や脅威に立ち向かうためのコミットメント（センはこの語を現実参加、約束、義務、責任という多義的な意味でつねに使用している）が世界全体で成長しつつあることを示すさまざまな兆候を最近多く見出すことができます。国際機関の活動が〃公認〃コミットメントならば、さまざまな国際機関の役割を批判する街頭の抗議活動は〃反公認〃コミットメントです。

しかしながら、国際問題やグローバルな問題を広く協力し合って検討するためのアンガージュマン（意思的・実践的政治参加）は現代世界においてかつてないほど盛んになってきているということは疑う余地がありません。グローバリゼーションに対する抗議のかたち自体も、グローバル化しつつあります。反グローバリゼーション運動をする人々は、世界の隅々からシアトルやワシントンＤＣにわざわざ集まって来るからです。

グローバリゼーションについての捉え方や分析については相違がありますが、すべての人々の関心のほうは見上げたことに一致して、地域的問題から国境を超えて世界全体にかかわる問題へと移行してしまった事実は見逃すべきではありません。しかし、この問題をいかに解決すべきかについて、これらのすべての人々の意見が一致することはまずないでしょう。グローバリゼーション自体が、賛成者だけでなく反対者たちにとっても、情熱を駆り立てられるテーマなのです。

もちろん、グローバリゼーションは新しい現象ではなく、数千年以上にわたって、貿易、旅行、移民、知識の伝播などを通じて、世界の進歩を実現してきたわけです。グローバリゼーションの反対側に位置するのは、偏執的な分離主義や頑迷な経済孤立主義です。

ぞっとさせられるイメージの、そのような鎖国主義を戒める物語は、インドの古代サンスクリット語で書かれたたくさんのテキストの中にもあって、しばしば引用されます。それらのうち、最古のテキストは二千五百年ほど前に書かれたものですが、私は四編ほどそのようなテキストを知っています。

そのなかに、サンスクリット語で〝クパマンデュカ〟と呼ばれている物語があります。それは、井の中の蛙の物語です。その蛙は、井戸の外で起こっているすべてのことに対して猜疑心を抱いて、一生を井戸の中で過ごします。

もし私たちがこの井の中の蛙のような生き方をしたら、科学、文化、経済についての世界史の視野が極端に狭いものになってしまうことでしょう。この戒めは、いつまでも役に立つことでしょう。なぜならば、この世の中のあちらこちらで、井の中の蛙や、その蛙の引き立て役がたくさん飛び跳ねているからです。

グローバルな接触や交流によって利益が得られるのは、何よりもまず、経済的関係です。情報技術などを含む現代技術の大きな利点、国際貿易や為替制度が定着したことによる効果、閉じられた社会ではなく開かれた社会で生きることの社会的・経済的メリットを、世界中の貧しい人々から遠ざけることによって、その経済的に困難な境遇を完全に変えることは不可能です。グローバリゼーションへの〝不正な統合〟とグローバリゼーションからの〝排除〟の二つは、裏合わせの危険なのです。

低賃金過重労働者と多国籍企業の巨大な力について憂慮するのは正しいことです。しかし、グローバルな投資からの撤退が、貧しい人々の経済的な逆境を解決することはありえないでしょう。なぜなら、貧しい人々が直面しているのは、特権的な人々が享受している経済的・社会的チャンスからの排除だからです。

国際的な取り決めとグローバルな構築

経済的・技術的交流から得られるグローバル化による恩恵を分かち合うことが可能かどうかは、さまざまな広がりを持つ国際的な取り決めにかかっています。

この国際的な取り決めのなかには、貿易協定、特許権にかかわる国際法、グローバルな健康衛生のための計画、国際的な教育機関、技術移転のための設備投資、エコロジーと環境規制、発展途上国の累積債務の公正な処理、地域紛争管理、軍拡競争の監視などが含まれています。

世界の金融システムは、世界銀行、IMF(国際通貨基金)、WTO(世界貿易機関)その他の、私たちが過去から譲り受けた機関によって構築されています。

後に整備されたWTOを除くこれらの制度的構築の大半は、第二次世界大戦終結間近に開催されたブレトンウッズ会議終了後、一九四〇年代半ばに設立されました。しかし、この金融の枠組みは、その当時に大問題とみなされたものに対応してはいましたが、現在では世界情勢もたいへん異なってきています。

当時はアジアやアフリカのほとんどの国々は帝国主義の支配下にあって、今日とはまったく異なる勢力均衡と利害関係が存在していました。しかし、今日においては、民主主義、社会的公正、女性たちのエンパワーメントを含めたグローバルな人権のはるかな展望が良く理解されるようになってきています。

また、五十年前のNGOには不可能であったような方法を駆使して、国境なき医師団、OX

FAM（飢餓救済のためのオックスフォード委員会）、アムネスティ・インターナショナル、ヒューマンライツ・ウォッチなど多数のNGOが、世界の注目を貧困や生存の脅威の問題に集めるのに成功しました。

私自身がOXFAMの名誉理事長を務めておりますので、本来ならば遠慮してこれらのメジャーなNGOが果たした役割をほめちぎるべきではないのかもしれません。しかし、これらのNGOがグローバルな活動だけではなく、グローバルな思考にも多大な影響を与えたという事実を指摘している客観的分析がありますが、それはまことに正しいと考えられます。

私たちは、ブレトンウッズ体制の枠組みをはるかに超えてゆかねばなりません。それは、ひとつには古い制度を再定義することと、もうひとつには人間の安全保障を強化するために新たな手段を講じることによってなされなければなりません。古い制度の再定義は、発展のための〝包括的な枠組み〟を唱える世界銀行総裁ジェームズ・ウォルフェンソンの指導下で、すでにかなりの程度まで進んでいます。

また、人間の安全保障を強化するために別個の制度が必要であるかどうかは、具体的に検討されるべき事柄です。グローバルな指導力について国連が果たすべき役割はそれ自体重大な問題ですが、国連事務総長コフィー・アナンがすでにこの問題について述べた理想と結びついています。

飢饉に見舞われたスーダン南部の村で、栄養不良の人々を世話する「国境なき医師団」のデンマーク人看護婦

中国・北京郊外。国家機密漏洩罪で逮捕された受刑者たちの写真を掲げデモ行進する「アムネスティ・インターナショナル」のメンバー

未来の課題と遺産

二〇〇〇年五月に小渕恵三氏が亡くなられた時、「ネーション」紙――タイの主要日刊紙、ジャーナリズムの世界における理性を代弁するメジャーな情報メディアのうちのひとつ――は、次のように始まる論説を掲載しました。「日本の小渕恵三首相の思いがけぬ死によって生じた空白がアジアのいたるところで感じられる」。この論説には、〝小渕氏は永遠の遺産を遺してくれた〟という見出しが付されていました。故首相は、人間の安全保障が脅かされることによって生じる多面的な問題についてコメントしましたが、その際に表明した決意こそが、継承されるべき遺産なのです。これからの未来においてなされるべきことは山ほどあります。

二〇〇〇年　東京「人間の安全保障国際シンポジウム」基調講演

アマルティア・セン　人と思想

Ⅰ．シャーンティニケタンの子供時代

アジア人の経済学者として、初のノーベル経済学賞受賞の栄誉に浴したアマルティア・センは、一九三三年、インド東部のベンガルで、生まれました。当時、インドはイギリスの植民地支配下にありました。〝永遠に生きる者〟を意味するアマルティアという名は、アジア人初のノーベル文学賞受賞者（一九一三年）であるラビンドラナート・タゴールによって名付けられました。タゴールは、物質文明による人間性の破壊を批判した人物で、インド独立の父と呼ばれるガンジーに、「マハトマ」（偉大なる魂）という尊称を与えたことでも知られています。本書の巻頭に収められた「危機を超えて」にも述べられているように、タゴールは、平和の地を意味する地名、シャーンティニケタンで、社会改革と教育の理想を実現するための学校を開きましたが、センはそこで教育を受けました。

タゴールの学校は、インドの伝統における文化的、宗教的、民族的多様性を尊重して、民族や宗教的相違に基づくあらゆる偏見と戦っていました。近年において展開されているセンの文化と人権についての思想は、明らかにこのタゴールの文化的差異についての思想を発展させたものです。そこでは、他の国や文化が創造したものを味わったり、経験したりする能力を人間の基本的な潜在能力のひとつに数えています。

センがちょうど九歳になった頃の一九四三年にベンガル大飢饉が起こりました。それによって餓死した人々は、二百万人を超すといわれています。幼いセンは、学校の校庭に迷い込んできた、飢えのために錯乱状態に陥って苦しむ人を目撃して、大変なショックを受けました。この消し去りがたい記憶が、どうしてインドは貧しいのかという幼い頃から抱きつづけてきた疑問と結びついて、センはのちに経済学者となる決心をしたそうです。

また、一九四〇年代半ばのインドでは、ヒンズー教徒とイスラム教徒とのあいだに血なまぐさい抗争が各地に起こりました。センがインドについて語っているように、「インドの宗教的多数派であるヒンズー教徒、世界第三番目の宗教人口を持つイスラム教徒、何百万というキリスト教徒と仏教徒だけではなく、世界最大多数のシーク教徒、ゾロアスター教徒、およびジャイナ教徒もまたこの国に共生しているのです」(本書所収「普遍的価値としての民主主義」一〇八ページ)。

一九四七年、インドの民衆を苦しめた約百年にわたるイギリスの植民地支配に終止符が打たれます。インド連邦共和国とパキスタン共和国に分離して、独立が実現しましたが、このようなかたちにおける独立は、インドのあらゆる民族と宗教の調和を唱えた、インド独立の最大の貢献者ガンジーが望んでいたものではありませんでした。

センが子供時代に経験したことは、彼の思想形成とアイデンティティについての考え方に重大な影響を与えましたが、それは同時に現在と未来におけるインドのアイデンティティにとって本質的な問題にもかかわっています。「さまざまに異質なものが、すっきりと洗練された形では融合されていませんが、インドでは民主主義システムが政治的単位として驚くほどうまく機能し存続しているといえます。しかし、現実には、インドで民主主義が機能不全に陥ったら、国内の統一は保ち得ないのです」（本書所収「普遍的価値としての民主主義」一〇八ページ）。そしてまた、インドのみならず、アジアにおける多様性とグローバリゼーションがもたらす多文化主義という歴史的現実にとって、民主主義や人権が普遍的な価値を持っていることをセンはいたるところで強調しています。そして、開かれた市民の公共議論によって、その価値は形成されるべきであると論じています。

近年の多文化主義論争においては、西洋リベラリズム（自由主義）の擁護者のなかには、政治的多元主義や寛容の精神は西洋のリベラリズムの内部にしか存在しないと主張してはばからない人たちがいますが、それに対してセンは、本書所収の「人権とアジア的価値」で、それらはポスト啓蒙主義のアメリカとヨーロッパだけではなく、多くの異文化の伝統においても見出されるものであると主張して、西洋の眼差しから非寛容な伝統と決めつけられているイスラムの伝統である寛容の精神について論じています。いわゆる「アジア的価値論争」について、センが鋭く指摘しているように、誤った他者理解は誤った自己理解に結びついているものです。

マハトマ・ガンジー（1869〜1948）

インド独立前夜のネール首相（1889〜1964）
（ＡＰ／ＷＷＰ）

人権の普遍性を前提として、自由で対等なコミュニケーションや対話が行われないかぎり、真の相互理解はなかなか生まれにくいものでしょう。彼はこの論争の形成にどのような政治的権力が働いているかについても詳しく分析しています。

Ⅱ．経済学と哲学の橋渡し

タゴールの学校を卒業した後、センはカルカッタ大学とケンブリッジ大学で経済学を学びました。彼はカルカッタ大学在学中に口腔癌にかかりますが、放射線治療を受けて幸い一命を取り留めます。ケンブリッジ大学の経済学部では、互いに対立しあうケインズ主義と新古典主義双方の理論を学び、そしてまた、マルクス主義経済学者のモーリス・ドッブ、ジョアン・ロビンソン、ピエロ・スラッファ、また、ケネス・アローの社会選択論からも多大な影響を受けます。ドッブの指導のもとに「技術の選択」についての学位論文を仕上げました。この内容は、祖国インドの経済発展における生産技術の選択問題をテーマにしたものでした。その直後、センは二十三歳の若さで、新設のジョドプール大学の経済学部教授に任命されます。しかし、その大学はセンにとって知的刺激に富んでいたにもかかわらず――ポスト植民地における新しい歴史記述のあり方を問うサバルタン・スタディーズの代表的人物ラナジット・グーハも大学の同僚のひとりでした――ケンブリッジ大学が成績優秀者のために特別奨学金を四年間も無条件で支給することを決定したために、再びインドからイギリスへ渡りました。そこで、彼はそのあいだ哲学を学ぶ決心をしました。ここから、センの経済学と哲学を橋渡しする試みがスタートするのです。

センの研究分野は驚異的な広がりを持っています。それは、厚生経済学、開発経済学、社会選択理論、貧困理論、所得分配理論、公共政策論、そして政治哲学、道徳哲学、経済倫理学、開発（発展）倫理学、法哲学、人権理論にわたっていますが、それらは内的連関によってそれぞれ見事に結びつけられており、しっかりと基礎付けられています。日本では、センは経済学者であると考えておられる方が多いのではないでしょうか。しかし、彼は数え切れないほど多数の哲学論文を執筆しており、一九七〇年代以降の欧米の主要な政治哲学論争のほとんどに——正義論争、自由論争、共同体論争、多文化主義論争等——鋭い論法で斬り込んで、論争を実り豊かな結論へと導く役割を果たしました。

センの議論が他の論者とやや違うところは、他の論者たちがまったく気付かずにいた論争全体の盲点を突くこともしばしば行いますが、それだけではありません。蝸牛角上の争いに堕しやすいアカデミックな哲学論争の双方の対立意見に含まれる、その最も優れた部分を見事に見抜いて融合させて、現実のなかで生じている問題の具体的解決へ向かうところに、センの議論の特色があります。

ところで、センの思想体系の中で、経済学と哲学を橋渡しする最も重要な役割を果たしているのは「社会選択理論」ですが、彼はこの理論にカルカッタ大学の学生時代から魅力を感じていました。一九七〇年に発表された『集団的選択と社会福祉』以降、センは、厚生経済学の基礎である純粋理論としての「社会選択理論」をさらに発展させて、経済学に対するラディカルな批判を繰り広げました。

新古典派経済学は、自己の利益の最大化を目指す「ホモ・エコノミクス」を行動論的基礎として想定していますが、センはこの精神的に貧しい利己的な人間像と――彼はこれを「合理的な愚か者」と呼んでいます――その行動の〝動機〟に批判を加えています。なぜなら、新古典派経済学は、事実を倫理的価値から切り離すために、人間の行動の〝動機〟というものをあまりに狭く捉えているからです。そして、新古典派経済学は、人間のとる行動の動機の構造をその倫理的動機も含めて、もっと広く捉えなおす必要があると彼は主張しています。彼がこの「合理的な愚か者」のかわりに提案したのは、他者の存在に道徳的関心を持ち、この他者との相互関係を自己の価値観に反映させて行動すること、つまり社会的コミットメントができるような個人です。それによって、経済学が温かい心を再び取り戻すことが可能となり、社会問題や政治問題に経済倫理の視点から取り組むことが可能となるのです。

また、センは従来の厚生経済学が自明視していたリベラリズムの価値観のなかに、多数決すなわち全員一致原理（パレート原理）と個人の自由の承認というまったく相容れない二つの原理があることを鋭く抉り出して見せてくれました。これは、たいへん有名な「センのリベラル・パラドックス」と呼ばれるもので、その解決策をめぐって大いに論議されました。

センが、一九七六年に、このきわめて重大な「リベラル・パラドックス」の解決策として提案したのは、「他人の権利を考慮して他人のために行動する」ということです。つまり、人は自己の権利を主張する前に、まず他人にどのような権利が与えられているかを考えなくてはならないというものです。そして、それはまた、人々の行動は、新古典派経済学が想定するように利己的な動機に支えられているのではなく、「倫理的な思考や道徳的な価値に動機付けられている」ということも意味しています。他人の権利が侵害されていることを知ったうえで、それによって自己の置かれている状況には何ら利益はもたらさないことだけれども――また、たとえそれが不利益をもたらすことがあっても――その他人の権利の侵害をやめさせるために何らかの行動に出る決心をすること、センはこれをコミットメントと呼んでいます。英語のコミットメントという言葉は、現実参加を行うこと、約束、義務、責任を果たすことというたいへん多義的な意味があって、日本語に訳すのはほとんど不可能です。しかし、センは日常生活や日常会話においてもよく使われるこの言葉をその多義的な意味をそのまま生かしながら、社会的コミットメントの重要性を訴えています。

この社会的コミットメントのコンセプトは、あとで述べるように、二十一世紀における世界平和のために重要なグローバルな市民の平等と連帯に関わる「人間の安全保障」という考え方や、新しい人権の思想にも深くかかわってきます。

また、センが指摘したパレート原理を暗黙の前提としている社会システム進化の理論体系にとって、センの「リベラル・パラドックス」が重大な帰結をもたらすことについては、もっと認識されるべきでしょう。なぜならば、理論体系にとってパラドックスとは、コンピューター・ウイルスのようなもので、パラドックスが発見されて体系内部でそれが解決できなければ、その理論体系全体が崩壊せざるをえないからです。

一九七〇年代半ばに、センは、今まで正統派の経済学に対する批判理論として活用してきた「社会選択理論」を、飢饉、貧困、不平等という現実に生きている人々が直面している問題を分析するために、実践的に適用することを考えるようになります。この頃、センは新しい妻エヴァ・コロルニと知り合っています。彼女も経済学者であり、ロンドン市立大学で教えていました（彼の最初の妻は同じベンガル出身のナヴァニータ・デヴィですが、彼女もまたたいへん知的な女性で、彼と離婚した後、現代ベンガル文学を代表する女流詩人となりました。日本ではあまり知られていないことですが、インドには、約二千三百年にもおよぶ女性たちの文学の歴史が連綿と続いていて、さまざまな宗教やカーストに属する女性たちが、多様な言語で、女性としての人生の悲しみや喜びについて自己表現してきました）。

一九八一年に出版された彼の有名な著書『貧困と飢饉』（黒崎卓・山崎幸治訳　岩波書店）はもともと、ＩＬＯ（国際労働機関）の世界雇用計画のために書かれたものですが、そのなかでセンは、エンタイトルメント・アプローチという画期的な方法を駆使しながら、経済学を志すきっかけとなったベンガル大飢饉やその他の飢饉についての分析を行っています。彼は、飢饉や飢餓の真の原因は何なのか、それらをあらかじめ防止するためにはどうしたら良いのかという問いに新しい視点から答えようと挑みます。その際に、二十世紀において世界の各地で発生した「飢饉」の原因が食糧供給不足にあったという通説をセンは見事に覆しました。そうではなく、飢饉は、エンタイトルメント（食料その他の生活必需品の購買力、突然に起こる権利の剝奪からおのれの身を守るなど個々の具体的な能力）が何らかの原因によって――たいていは、自然災害ではなく、民主主義の欠如など政治的原因によることが多い――損なわれた状態において発生することを明らかにしました。このようなエンタイトルメントが損なわれた状態をさして、センは「剝奪」状態と呼んでいます。それは人が人として生きるために必要な最低限の基本的人権が侵害されている状態でもあります。そして、飢饉や飢餓をこの世からなくすためには、もちろん政府の公共政策も必要ですが、それよりも何よりも、それに苦しんでいる人たち自身が「飢餓根絶の受益者であるだけではなく、重要な意味で、その主要な行為者となるべき」であり、私たちもまた、それらの人たちを「単に長い間苦しんできた受難者としてではなく、積極的な行為主体として見ること」が大切です。ここには、南北関係の対立を超えた世界中の人々に対する、センからの重要なメッセージが語られていると見るべきでしょう。そして、政治参加に積極的な市民がつくりあげた民主主義的制度による保障こそ、飢饉の防止や阻止に役立つものであるという考え方は、あとで述べるように、冷戦終結後のグローバルな時代の安全保障理論として展開されるセンの「人間の安全保障」論のなかで、さらに中心的な役割を演じることになります。これは、新しいグローバルな人権として注目されている「平和の権利」(平和的生存権)と「発展の権利」をその他の人権(たとえば、自由権、平等権など)と結びつけるためにも、たいへんな重要性を持ちます。

センの最愛の妻は、彼と二人の幼い子供たちを残して、一九八五年に胃癌のために亡くなってしまいます。同じ年にヘルシンキに国連大学世界開発経済研究所(UNU/WIDER)が創設されました。その創設者の一人として、一九八五年から一九九一年まで数多くの研究プロジェクトを指導しました。センが国連大学世界開発経済研究所で指導した研究プロジェクトは、「食糧戦略」「途上国における社会保障のための公共活動」「生活の質と生活水準」「社会保障「比較研究―インドの経験」「飢餓と貧困」「西ベンガル村落部における社会変容と公共政策」などですが、彼は、これらの研究プロジェクトにおいて、エヴァや同僚の研究者たちと議論に議論を重ねて生み出した分析方法や測定方法を駆使して、「社会選択理論」の〝実践的な〟適用が可能であることを示したのでした。

また、もうひとつ強調すべき点は、エヴァの助言があったからこそ、センはつねに「ジェンダーと開発（発展）」というテーマに注目していたといえるでしょう。女性は経済発展において重要な役割を果たすにもかかわらず、開発計画のなかで注目されてきませんでしたが、センは、発展途上国における男女差別のために、家庭内の男性たちと比べて、女性たちの栄養状態がひどく悪いにもかかわらず、女性たちにはほとんどその自覚がないという事実を鋭く抉り出しました。その際に、愛する家族のために女性たちはみずからの抑圧の現実までも覆い隠ししまっている事実を外からの視線ではなく、内からの視線によって明らかにしようと努めています。みずからの真のアイデンティティやニーズを見きわめることは、人生の決定または選択にとっても重要なことなのですが、難しいことでもあるのです。このように、センは、女性を社会の抑圧構造から解放し、社会的平等、公正、エンパワーメント（力をつけること）を達成することを目標とした「女性の権利」の視点を開発計画に盛り込むことにも、たいへん貢献しました。

センは、エヴァが残した幼い二人の子供たちと一緒に、オックスフォード大学からハーヴァード大学へと移り、同大学の経済学部と哲学部で教鞭をとりつつ、みずからの思想の体系化に取り組みました。センは、ノーベル経済学賞を受賞したわけですが、スウェーデン王立科学アカデミーは、その授賞理由の中に「経済学と哲学に橋渡しを果たしたこと」を彼の功績としてほめたたえています。

Ⅲ．人間的発展とは何か――人間の潜在能力アプローチと行為主体《エージェンシー》

センの体系的学問のなかで、最も重要な概念は「潜在能力」(capability)です。潜在能力という概念が最初に用いられたのは、一九七九年のターナー・レクチャー「何の平等か」が最初でした。センはそこでジョン・ロールズの平等論を批判しながら「基本的潜在能力の平等」をみずから提案しています。ロールズは、ハーヴァード大学で教える政治哲学者で、一九七一年に大著『正義論』を発表して、多方面から大きな反響を呼び、多くの学者たちが各自の分野を越えて賛否両論を唱えて大論争を巻き起こしました。その活況ぶりは、〝ロールズ・インダストリー〟と皮肉られるほどでした。

ロールズのねらいは、ロック、ルソー、カントが展開した社会契約説を一般化して、抽象度の高い正義の普遍的構想を提示することでした。彼のユニークな方法は、「無知のヴェール」のもとの原初状態(個人情報がまったく与えられないで覆い隠されている状態)において、自由かつ合理的な人々ならば、二つの正義の原理を必ず採択するという仮定に基づいています。

ジョン・ロック（1632～1704）
イギリスの哲学者・政治思想家

ジャン・ジャック・ルソー
（1712～1778）
フランスの作家・啓蒙思想家

国連事務総長・コフィー・アナン

イマヌエル・カント
（1724～1804）
ドイツの哲学者

正義の第一の原理とは、基本財のうちでも最もベーシックな「基本的諸自由」(選挙権・被選挙権などの政治的自由、言論・集会の自由、思想および良心の自由)の平等な分配を命じるというもので、第二の原理とは、所得や地位など他の基本財の分配にかかわっています。そのために、公正な機会均等、および、最も不運な人々の利益の最大化を図るという二つの条件にあわせて、社会・経済的不平等を是正するというものです。

まず、センはロールズの平等論が西洋近代の文化に従属していて、物神崇拝的《フェティシズム》な特徴を持っていることを批判しています(ロールズはこのセンの批判をあっさり受け入れてしまったために、普遍主義を唱える哲学者から攻撃されました)。それから、ロールズの平等論は、その物神崇拝的態度のおかげで、モノ=財の分配が中心的な役割を果たしているために、その分配された財が人のために何をしてくれるのかという問題に気付いていないという指摘を行っています。ロールズの平等論が、人間存在の多様性やそのニーズの多様性が捉えきれていないという事実をはっきり示すために、障害者と健常者のあいだの平等実現という問題について論じています。障害者と健常者に同じ財が分配されたとしても、「健常者ならば、それを用いてなし得る多くのことを障害者はなし得ないという事実に対して、私たちは注意を払うべきである」と述べています。また、個人としての障害者のニーズも多様であることをセンは認めながら、そのニーズのうちで最も基本的なニーズを「基本的潜在能力」として捉えて——たとえば、身体を動かして移動すること、共同体の社会生活に参加すること、衣食住に関するニーズについては、平等化を実現すべきであると主張しています。従来の道徳政治哲学における正義や平等についての議論が、健常者たちのあいだの平等を前提として、障害者たちを暗黙のうちに排除していたことをセンはここで鋭く批判したのでした。真に平等な社会では健常者のあいだだけでなく、障害者と健常者のあいだの平等もまた実現されなくてはなりません。センはのちに人間存在の多様性やそのニーズの多様性をジェンダー、加齢、疾病による脆弱性、などに拡大しながら、潜在能力の平等について再論しています（『不平等の再検討』池本幸生・野上裕生・佐藤仁訳　岩波書店）。

一九八〇年代後半から、センは、この潜在能力アプローチに基づく厚生経済学と開発経済学の批判的再構成を試みます。セン自身の定義によれば、潜在能力とは、「人が善い生活や善い人生を生きるために、どのような状態（being）にありたいのか、そしてどのような行動（doing）をとりたいのかを結びつけることから生じる機能（functionings）の集合」のことだとされています。センは生活の質を所得や効用を通してみるのではなく、「潜在能力」や「機能」という側面から、人の福利＝善い生活（well-being）を評価したり、比較したりする方法を提案したのです。少々難しく聞こえるかもしれませんが、それは、センの潜在能力アプローチが数理哲学的基礎を持つために厳密な定義を必要とするからです。何が「潜在能力」とされるべきかに関しては、反省能力と批判的判断力を持つ個人が自由に考えて決めることなので、センは「潜在能力」が何であるかについて、いくつかの具体的な例をあげるにとどめています。たとえば、「よい栄養状態にあること」「健康な状態を保つこと」「幸せであること」「自分を誇りに思うこと」などもあげられています。そしてまた、「人前で恥ずかしがらずに話ができること」や「愛する人のそばにいられること」なども「潜在能力」の機能に含めることができるとしています。「汝自身を知れ」というのは、古代ギリシャ哲学の最も有名な言葉ですが、読者の方々も、自分の生活を真に豊かにするためには、どんな状態やどんな行動を取りたいのか考えてみれば、自分の「潜在能力」とは何なのか、すぐに理解できるでしょう。

センとかつて共同研究を行っていた政治哲学者マーサ・ヌスバウムもまた、アリストテレス本質主義の立場から、潜在能力アプローチを再構成しようと試みています。しかし、ヌスバウムのほうは、センとは違って、いくつかの「潜在能力」をあげつらねてリスト・アップしています。けれども、どの「潜在能力」を選ぶかは、現実における他者とのコミットメントやコミュニケーションを通して形成された規範や価値によって、決められるわけですし、自分の選択には責任をとらなければならないわけですから、「潜在能力」の機能についてリスト・アップすることはやはり無用だと思われます。それによって、エージェンシー、すなわち主体的行為のアスペクトも弱くなってしまいます。セン自身による「潜在能力」の捉え方のほうが、個人の多様性だけではなく、世界各地の文化的多様性による価値観の相違に対しても、寛容であると言えましょう。また、センの潜在能力アプローチのほうが、時代のニーズの可変性に対しても対応できるように思われます。

センは、この「潜在能力」の機能の拡大こそ、発展というものの究極的目標であり、それはまた同時に自由の拡大を意味すると述べています。そして、「より多くの自由は人々が自らを助け、そして世界に影響を与える能力を向上させる」と近著“Development as Freedom”(『自由と経済開発』石塚雅彦訳　日本経済新聞社)のなかで述べています。

また、センが「危機を超えて」(本書所収)のなかでも述べているように、わたしたちが生きている社会を創り上げているあらゆる制度は、それらが私たちの「潜在能力」の拡大――その選択の幅を広げること――をサポートしてくれるものであるか否かによって、評価されます。もしある制度が私たちの「潜在能力」の促進を妨害するのであるならば、その制度は廃止されるべきでしょう。センの哲学体系のなかでは、制度も権利も、社会の人々の承認なくして存在することはないのです。そしてまた、もし私たちの「潜在能力」の向上をサポートしてくれる制度が社会に存在しないのであるならば、そのための新しい制度が創られるように、政治的、市民的権利を行使して、主体的に行動すべきなのです。このセンの潜在能力アプローチや〝発展〟そのものにとって重要な役割を演じるのは、エージェンシー、すなわち人間の主体的行為です。すでにエンタイトルメント・アプローチに関連して述べた「公共行動」も、この人間の主体的行為抜きには考えられません。エージェントとは、英語では、一般的に代理人、すなわち誰か他人に依頼して行動する人を指していますが、潜在能力アプローチにおいては、それとは違って「もっとスケールの大きい行為主体」を意味しています。セン自身の定義によれば「行動して変化をもたらす人、そしてその行動が達成したものをその人自身の価値と目的を基準に判断されるような人のこと」なのです。センの研究は個人の主体的行為に深く関わっており、「経済的、社会的、政治的行動の参加者として、一般市民のひとりとしての個人の役割」こそ、それらの発展の中心を成しているのです。そして、あらゆる公共政策の決定に対して政治的・市民的権利の参加型行使に結びついているこの個人や集団の主体的行為は重大な影響を与えるべきであると、センは考えています。

二十一世紀の国際開発協力の新しい理念となりつつあるのが、国連の開発援助機関である国連開発計画（ＵＮＤＰ）等の国連機関などの場で提起された「人間的発展（人間開発）」の考え方であり、この思想的源泉となっているのが、センの「人間的発展（人間開発）アプローチ」です。それによって、従来の経済開発中心型路線から、新しい人間中心型発展路線への方向転換を促したのでした。国連開発計画は、センと彼の長年の親友であるパキスタンの開発経済学者マブーブル・ハクのリーダーシップのもとで、一九九〇年度より "Human Development Report"（『人間開発レポート』）と題する年次報告を新しく公刊し始めました。

センはその最初の年次報告において、従来の開発援助のあり方を徹底批判して、「発展とは、GNP成長、所得や富、また財を生産したり、資本を蓄積したりする以上のことを意味している。ある人が高収入を得ていることは、彼の人生における選択の一つであるかもしれないが、それは人間の生の営みすべてをあらわしているとはいえない」と述べるとともに、「発展のプロセスは、人々に対して、個人的にも集団的にも、その資質を完全に開花させることを可能にして、また同時に、そのニーズや利害に応じた生産的かつ創造的生活を営むことができるような適切なチャンスを与えてくれる政策環境を創り出さねばならない。人間的発展はしたがって、人間の潜在能力を形成するだけではなく、これらの潜在能力をいかに活用し、発揮させるかということにも関わっている」と主張しています。

ここで、私たち日本人が幕末の開国以来抱えてきた根源的な問題、すなわち翻訳の問題について、少し触れておきたいのですが、英語の development には、たいていの日本語の文脈において、「開発」もしくは「発展」という二つの訳語が与えられています。前者はもともとは仏教の用語である開発《かいほつ》に由来するのに対して、後者は漢語起源です。

今日、私たちが使用している日本語では「開発」は環境破壊などの元凶でもある「リゾート開発」とか経済至上主義的な意味合いが色濃いのですが、development の訳語である開発が由来する仏教用語の開発《かいほつ》という言葉自体は決して悪い意味合いを含む言葉ではなく、「仏性、すなわち生あるものがみなそなえている悟りの力を開花させ、我々の人間性そのものを発現してゆくこと」というのがその言葉の元来の意味であるそうです。これは、センの「Human Development」が目指しているものと重なる部分もありそうですが、センが強調する発展のプロセスにおける行為主体の〝能動性〟の重要性が弱められてしまうような気がします。開発という言葉を使用すると、それが貧しい国々の人々にかかわっていて、世界中のあらゆる人々がかかわっているという認識が生じないのではないかという危惧も存在します。センによって発案された「Human Development」のコンセプトはグローバルな視野を持ち、貧しい国々における人間的発展のためだけではなく、世界中のあらゆる人々の人間的発展のためのメッセージです。ヨーロッパの国々においても「発展」についての考え方が大きく変化しつつあります。それは、グローバルな連帯なくしては持続可能な「発展」はありえないという新しい認識が生まれたことを意味しています。

一九九二年にブラジルのリオ・デ・ジャネイロで開催された地球サミットで、「持続可能な発展／開発」(Sustainable Development)の概念が――最初、国連に設置された「環境と発展／開発に関する世界委員会」(通称　ブルントラント委員会)の報告書 "Our Common Future"

1992年にブラジル・リオデジャネイロで開かれた地球サミット
（国連環境開発会議）

1995年にデンマーク・コペンハーゲンで開かれた開発サミット
（国連社会開発サミット）

「地球を守るために」を通じて広く知られるようになった概念——具体的な行動計画「アジェンダ21」として結実しました。この「アジェンダ21」はヨーロッパの環境教育に大きな方向転換をもたらしたと言われていますが、ドイツではその影響のもとに、「持続可能性論争」という大論争が、ミレニアムの世紀末に起こりました。「二十一世紀のドイツ社会において、世界の国々と共生を目指す持続可能な発展はいかにして実現されるのか」について、社会のあらゆる階層——政治家、経済人、各分野の研究者、市民、エコロジスト、フェミニスト、学生や生徒たち等々——が参加して真剣な論議がさまざまなレヴェルで交わされました。そこでは、貧困や環境破壊、先進国サイドの消費者の責任、成長の限界、世代間の公正、未来のエネルギー問題、グローバルな多文化主義、環境問題と世界平和、環境教育のあり方などのテーマについて、徹底的に討論されました。それをふまえて、ヨーロッパの経済大国であるドイツ社会は自己批判を経て現在大きく変貌しつつあります。センの新しい概念'Sustainable Human Development'もまた、そのような持続可能な人間的発展についての人々のグローバルな理解とコミットメントを求めています。ドイツの哲学者イマヌエル・カントを再度引用しながら、センがそこで強調していることは、次のようなことです。「〝人間性は目的自体であり、断じて手段と見なされてはならない〟のであって、現在においてさえ、この言葉はその力を失っていない。言うまでもなく、このことは、私たちの未来の世代に対して背負う義務にもまたあてはまる。人間らしい生活の物質的な基礎の維持や促進のための人間的な資質の手段としての重要性に注目するかたわら、私たちは目的自体としての人間らしい生活の質を実現することの重要性を視野から見失ってはならない」。この主張はまた、グローバルな民主主義の拡大によって実現されなくてはならないことなのです。

また、一九九四年次の国連開発計画の『人間開発レポート』で――それは翌年のコペンハーゲン社会発展/開発サミットにおける議論とテーマのために準備されたものでした――センが「人間の安全保障」という考え方を打ち出すと、この考え方は瞬く間に世界中に広がり、「人間の安全保障」という概念は、東西冷戦終結後の世界平和のあり方を考えるうえで欠かせない概念となりました。人間の安全保障論は、現在の安全保障の問題がもはや東西問題ではなく南北問題だということをまず明らかにしています。そこでは、途上国における貧困、階級や所得格差に基づく不平等などが内戦、紛争を引き起こす主な原因であり、社会や政治における民主主義的発展こそが――安定した雇用、所得、健康、環境、治安を確保して人々の安全を守ることも含めて――世界平和を実現する道であると主張されています。国連開発計画は、「人間の安全保障」には先ほどの「持続可能な人間的発展」が不可欠であるとしています。ここにおいてグローバルな人権としての「平和の権利」と「発展の権利」が不可分なものであるということが再認識されるべきでしょう。また、センが本書所収の講演「人間の安全保障について」で述べているように、そこにおけるグローバルなコミットメントを可能にするNGOの役割は未来においてますます重要なものになってゆくことでしょう。

センによって提案された「人間の安全保障」という新しい概念の国連内部での影響はたいへん強く、一九九八年次の『人間開発レポート』のなかで、国連事務総長のコフィー・アナンは、「人間の安全保障は国連にとって最大の使命である」と述べて、国連活動の中心概念として人間の安全保障を論じています。国連に課せられた急務として、紛争回避の目的のために、発展／開発と人権、人間の安全保障とを包括して、相互関連性を強調するようになってきています。また、国連難民高等弁務官事務所（UNHCR）もまた、難民や国内避難民の問題など、目前の生存の危機にさらされた人々の安全を守るために何がなされるべきかを決定するために、センによって最初に提案された「人間の安全保障」という概念をふまえたうえで、その再定義を試みています。

センは、本書に収められたすべての論文において、人権の普遍性を強調していますが、グローバル時代の人権もまた、このように大きく変貌しつつあります。グローバル時代の人権についての常識は、人権には三つの世代が存在して、それらの三つの世代に属する人権にはすべて相互連関性があって、それらは不可分であるということです。第一世代の人権とは、最も古い人権の世代であって、ヨーロッパで生まれた個人的な政治的権利や市民権がそれに属し、第二世代の人権には、経済的権利、社会的権利、文化的権利が属し、第三世代の人権には、発展の権利、平和的生存権、知る権利、環境権、人類の共同遺産に関する所有権、女性の権利など、いわゆる新しい人権が含まれるとされています。それらの新しい人権は、その定義をめぐってまだまだ論議の余地がありますが、国際社会の広い承認を獲得しつつあります。

また、これらすべての世代の人権の普遍性と不可分性は、一九九三年のウィーン国連世界人権会議でも、一九九五年の国連世界女性会議でも、世界中のNGOの代表者たちによって主張されました。センの研究論文では、これら新しい人権のすべての内的連関が見事に示されていますが、彼のグローバルな人権思想は、人権の普遍性に新しい基礎付けを与え得る可能性を持っています。また、センの哲学体系においては、自己の権利主張が他者の権利を認めることによって正当化される構造になっています。これもまた、従来の権利の考え方とは、異なるものでしょう。

残念ながら、アジアは世界中でただ一つだけ、地域的人権機構が存在しない悲しい空白の地域なのです。「アジア的価値論争」に対するセンの批判をふまえたうえで、アジアにもアジアの多様性を尊重する個性的な「アジア人権憲章」が一日も早く認められる存在となって、同時に、アジアから、そして世界から、貧困や暴力、人権侵害のなくなる日が近い将来に訪れてほしいと願わずにはいられません。日本やアジアの再生の鍵となるのは、もはやかつての経済至上主義的開発路線ではなく、センが倦まずに説いているような「人間的発展」中心の平和主義的路線であるべきことは言うまでもありません。

最後に

ノーベル経済学賞受賞後、世界中から講演の招待を受けて、たいへん多忙なセン教授ですが、インドにおける基本的なヘルス・ケアやジェンダーの平等を実現するために、「パラチ・トラスト」（パラチはシャーンティニケタン近くのセンの祖先が生まれた土地の名称です）という基金を設立して、ノーベル賞の賞金の一部をみずから寄付しました。また、母校ケンブリッジ大学のトリニティ・カレッジで教鞭をとるかたわら、国連のプロジェクトやNGOのアドヴァイザーとしても活躍しています。私生活においては、同大学研究所にお勤めの経済思想史の研究者エマ・ロスチャイルド教授という新たな伴侶を得て、多忙な生活のなかに安らぎを見出されているそうです。彼女との共同執筆で新しい本を出版する予定もあるようです。また、新しい政治哲学論文もいくつか発表して、鋭い論法で人権や権利と他者に対する義務についてなどのテーマに斬り込んでいます。

私たちにとって、センの思想的世界を知ることは、発展とは何か、自由とは何か、平等とは何か、貧困とは何かというおそらく現代の民主主義の再生にとって根源的な問いについて深く考えるチャンスだと思います。この新書判の翻訳書がきっかけとなって、より多くの読者の方々にセンの人権思想に関心を持っていただけたら、こんなに嬉しいことはありません。巻末にセンの邦訳リストを添えましたので、是非それらも読んでいただけたら、と思います。

大石りら

二〇〇一年十月

註

『危機を超えて』

（1）ラビンドラナート・タゴール（一八六一〜一九四一）

　インドの詩人、小説家、思想家、教育者、社会改革者。ベンガル文芸復興の中心を担った名家に生まれ、十一歳頃から詩作を始める。詩集『ギタンジャリ』を自ら英訳して出版後、ヨーロッパの著名な詩人たちを驚嘆させ、一九一三年アジア人として初めてノーベル文学賞を受賞する。その後、東洋と西洋の架け橋として世界の国々を訪れる。三回来日して、日本の多くの知識人や芸術家と親交を結ぶ。ガンジーと並んで、国父として尊敬され、インド独立後の国歌はタゴールによる作詞である。

（2）司空図（八三七〜九〇八）

　中国の唐末期の詩人、文芸評論家。進士の試験に合格した後、才能を認められて官僚となったが、中央政界を去る決心をする。歴代の皇帝に招かれたが、辞退して郷里の中条山にこもって、客を招待して交遊する日々を過ごす。唐を滅ぼして帝位を簒奪した朱全忠の招きにも応じず、唐王朝の滅亡を嘆いて、絶食によって自殺した。『詩品二十四則』は詩の形式で書かれた、すぐれた詩論である。

『人権とアジア的価値』

(3)トーマス・ペイン(一七三七〜一八〇九)

イギリス生まれの著作家、革命思想家。一七七四年、渡米。二年後に『コモンセンス』を著して、アメリカ独立への気運を高める。八七年、フランスに渡り、九一年、フランス革命を擁護した『人間の権利』を発表。一八〇二年、再びアメリカへ渡るが、かつての「独立革命の英雄」は「汚らわしい無神論者」と誤解され、貧困と孤独のうちにその波乱の生涯を閉じた。

(4)アイザイア・バーリン(一九〇九〜)

政治哲学者、政治思想史家。バルト海沿岸のリガに生まれるが、ユダヤ人の両親と共にイギリスに移住してオックスフォード大学で哲学を学ぶ。一九五八年の教授就任講義である「二つの自由概念について」が、いわゆる自由論争を巻き起こす。これは、欧米の政治哲学の伝統にみられる積極的自由(〜への自由、自己の自律性)と消極的自由(〜からの自由、他からの拘束の不在)という二つの概念をめぐる重要な論争であるが、バーリンの友人でもあるアマルティア・センは、社会的なコミットメントの観点から、二つの自由が結びついていて切り離せないものであることを強調している。

（5）エリアス・カネッティ（一九〇五〜一九九四）

思想家、文学者。スペイン系ユダヤ人家庭の長男としてブルガリアに生まれる。一九一一年以降、家族と共にヨーロッパ各地に移住する。三五年、長編小説『眩暈（めまい）』（法政大学出版局）はウィーンで出版され、トーマス・マンやヘルマン・ブロッホに激賞される。一九三九年、ナチスから逃れるために英国に亡命して、定住する。戦後、評論『群衆と権力』（同前）を発表して、ヨーロッパの思想界で絶賛される。八一年、ノーベル文学賞を受賞。

（6）アショーカ大王（生没年不詳）

インドのマウリア王朝第三代の王（在位前二六八年頃〜前二三二年頃）。中国や日本の仏教徒のあいだで「阿育王」の名で古くから知られている。祖父チャンドラグプタが築き上げた現在のインドとパキスタンの大部分、そしてアフガニスタンの南部にまでおよぶ広大な領域を継承する。インド南東部のカリンガ王国を征服した時、その戦争の悲惨さを深く反省して仏教徒に改宗して以来、すべての人間が守るべき倫理であるダルマ（法）に基づく政治を理想として実現すべく精力的に努めたが、王の死後、帝国は急速に衰退する。

（7）カウティリヤ（生没年不詳）

紀元後二世紀頃の古代インド王朝の名宰相。『アルタシャーストラ』（実利論）は、古代インドの帝王学、国家論、外交論、軍事論の模範書となった。アルタ（実利）の立場から揺ぎない権力の確保のために王が採るべき権謀術数を説いている。ドイツの社会学者マックス・ウエーバーによれば、マキャベリの『君主論』などは、これに比すればたいしたことはないとしている。また、『アルタシャーストラ』の美文調や文体は、『カーマスートラ』（性愛学の古典書）、『パンチャタントラ』（説話物語集）など、数多くのインド文学に影響を与えた。

（8）アクバル大帝（一五四二〜一六〇五）
　インドのムガール帝国第三代皇帝（在位一五五六〜一六〇五）。父王の急死により十四歳で即位する。その後、四十余年の治世を通じて領土拡張戦争を繰り広げて、古代帝国のアショーカ大王に匹敵する領土を獲得して、帝国統一のために、ヒンズー教徒のラージプート王族との婚姻関係を通じて軍事同盟を結んだ。しかし、新宗教ディーニ＝イラーヒーは少数の臣下を信者としたにすぎず、完全な失敗に終わったが、諸宗教調和の理想は、アクバル皇帝廟などの壮麗な建築物の様式において見事に実現された。

（9）アウランゼーブ（一六一八〜一七〇七）
　インドのムガール帝国第六代皇帝（在位一六五九〜一七〇七）シャー・ジャハーン皇帝の第三王子であるが、一六八五年、父王の病気にさいして、兄弟間の帝位継承戦に勝ち、翌年に父を幽閉して即位した。彼の治世はアクバル帝によって確立された帝国の統一が揺らぐ直前の時期にあたる。彼の死後、ムガール帝国は急速に崩壊していった。

(10) シャー・ジャハーン（一五九二〜一六六六）

インドのムガール帝国第五代皇帝（在位一六二八〜一六五七）。彼の治世が、ムガール皇帝権力の最盛期といわれる。寵愛の妃ムスターズ・マハルの死を悼んで建築したアグラのタージマハル霊屋のほか、デリーの宮殿など数多くの壮麗な建築を残したが、同時に宮廷内部の奢侈や浪費のために、帝国の財政的基盤を揺るがせたことになる。

(11) シバージ王（一六二七〜一六八〇）

インド中世のマラータ王国の創始者（在位一六七四〜一六八〇）。ヒンズー教徒の小豪族出身であったが、ムガール帝国のアウランゼーブによる圧政に苦しむマラータ族農民に支持されて、デカン半島西部に小王国を建設した。数世紀にわたって押さえられていたヒンズー勢力の復活に力を与えた。

(12) ジャハンギール（一五六九〜一六二七）

インドのムガール帝国第四代皇帝（在位一六〇五〜一六二七）。政治的・軍事的才能よりもむしろ、文学的才能に優れ、文学や美術を保護したので、治世中にムガール文化の絢爛豪華な花が咲いた。また、アクバル帝と同様、宗教に対してたいへん寛大であって、非イスラム教徒に対するジズヤ（人頭税）を廃止した。

(13)『普遍的価値としての民主主義』

モーゼス・マイモニデス（一一三五〜一二〇四）

ユダヤ教徒の子として、イスラム統治下のスペインにおける地中海文化の中心地コルドバで生まれる。ユダヤ教の神学者、哲学者であるが、法学、医学、錬金術にも精通していた。ヘブライ語、ギリシャ語、アラビア語にたいへん堪能で、古代のアリストテレス哲学とユダヤ教神学・哲学との融合を目指した。三十歳の時にユダヤ人迫害を逃れて、エジプトに渡り、イスラム王朝の宮廷医となり、ユダヤ社会の政治的指導者となった。

(14) サラディーン（一一三八〜一一九三）

クルド人の子としてイラク中北部のティクリートに生まれたが、十四歳の時から、シリアを支配していたイスラム君主に仕えていた。シリア軍の最高司令官に任命されて、パレスチナを本拠とするキリスト教十字軍の攻撃をうけていたエジプトのファティマ朝を軍事的に支援した。北アフリカから中近東にわたる広大な帝国を形成して、自らアイユーブ朝の創始者となり、イスラム世界を再統一する。キリスト教十字軍を打ち破ってエルサレムを奪回したため、後世においてイスラムの英雄として崇拝されているが、異教徒であるキリスト教徒に対する寛容な態度によって、ヨーロッパの作家にとっても魅力的人物として、文芸作品にたびたび登場している。

邦訳文献リスト一覧

『福祉の経済学――財と潜在能力』鈴村興太郎訳　岩波書店　一九八八年
『合理的な愚か者――経済学＝倫理学的探究』大庭健・川本隆史抄訳　勁草書房　一九八九年
『不平等の再検討――潜在能力と自由』池本幸生・野上裕生・佐藤仁訳　岩波書店　一九九九年
『貧困と飢饉』黒崎卓・山崎幸治訳　岩波書店　二〇〇〇年
『自由と経済開発』石塚雅彦訳　日本経済新聞社　二〇〇〇年
『不平等の経済学』鈴村興太郎・須賀晃一訳　東洋経済新報社　二〇〇〇年
『集合的選択と社会的厚生』志田基与師監訳　勁草書房　二〇〇〇年

アマルティア・セン

一九三三年インドのベンガル地方に生まれる。五三年カルカッタ大学経済学部卒業。五九年ケンブリッジ大学で経済学博士号取得。ケンブリッジ大学、デリー大学、ロンドン大学経済学スクール、オックスフォード大学、ハーバード大学で教授を歴任。九八年よりケンブリッジ大学トリニティ・カレッジ学長。九八年度ノーベル経済学賞受賞。

大石りら（おおいし りら）

一九六〇年横浜生まれ。明治大学文学部英文科卒業後、ドイツに渡る。フランクフルト大学大学院で哲学、政治学、社会学を学ぶ。

貧困《ひんこん》の克服《こくふく》

集英社新書〇一二七A

二〇〇二年一月二二日 第一刷発行

著者……アマルティア・セン　訳者……大石《おおいし》りら
発行者……谷山尚義
発行所……株式会社集英社
東京都千代田区一ツ橋二-五-一〇　郵便番号一〇一-八〇五〇
電話 〇三-三二三〇-六三九一（編集部）
〇三-三二三〇-六三九三（販売部）
〇三-三二三〇-六〇八〇（制作部）
装幀……原 研哉
印刷所……凸版印刷株式会社
製本所……加藤製本株式会社
定価はカバーに表示してあります。

ISBN 4-08-720127-9 C0233

Printed in Japan

a pilot of wisdom

集英社新書　好評既刊

レイコ@チョート校
岡崎玲子　0114-E

15歳でアメリカ名門プレップスクールに入学した女の子が、高度教育の実態や楽しい留学生活を紹介。

開高健の博物誌
開高 健（解題・奥本大三郎）　0115-F

世界を旅し、釣り、食した小説家が刻んだ極上の文章群から、博物学的な名描写を選び抜いた楽しい一冊。

原発列島を行く
鎌田 慧　0116-B

この国のエネルギー政策の歪みを追う。淡々とした筆致に込められた怒り。原発は人々を幸せにしたか!?

私の体験的ノンフィクション術
佐野眞一　0117-F

私淑する民俗学者に学び、自分はどう「歩き」「見」「聞き」書いてきたか。初の「自伝的」文章・調査論。

自分を活かす〝気〟の思想
中野孝次　0118-C

人生の達人・露伴の言葉を現代に読み解き、正しい〝気〟の働きを説く。「逆境の時代」に贈る新・幸福論。

eメールの達人になる
村上 龍　0119-B

ネット草創期からメールを駆使する作家が、豊富な用例を交え初めて明かす、eメールマスターへの道。

日本の異端文学
川村 湊　0120-F

澁澤龍彥、山田風太郎、国枝史郎など、「異端」をキーワードに読み解く怪しき〝もう一つの文学〟入門。

進化する日本サッカー
忠鉢信一　0121-H

W杯、日本は？　30年の地道な積み重ねを豊富な証言で綴った日本サッカー強化の歴史、未来への展望。

大学サバイバル
古沢由紀子　0122-E

いま、大学がタイヘンだ！　少子化、学力低下、再編・連携への動き……大学・短大の生き残りをかけた戦い。

イチローUSA語録
デイヴィッド・シールズ編　0123-H

この1年を共有した喜び！　全米をとりこにしたイチローの米メディアでの発言112。日米二カ国語で収録。

既刊情報の詳細は集英社新書のホームページへ
http://www.shueisha.co.jp/shinsho/